KB122621

절망인 줄 알았더니

삶은 기적이었다

김용옥 지음

1부

2 부

3 부

4 부

1 부

죽림에 서서

흑룡해 겨울엔 삼십여 년 만에 혹한에 폭설이 내렸다. 겨울엔 역시 백설이 며칠씩 펼쳐있어야 진짜 겨울 같다. 깡깡 시린 바람이 사그락사그락 백설을 얼릴 정도로 추워야 한겨울답다. 백설부를 쓰고 싶다. 창밖 설경세상은 나를 유혹하는 손짓을 한다.

하지만 나이를 먹은 설움인지 눈세상 예찬을 기다리는 전화는 기별도 없다. 뿐만 아니라 "눈이 왔어!" 말하기가 무섭게 꼼짝 말고 있으란다. 낙상하면 큰일 난다고. 만에 하나, 낙상할 수도 있겠지만, 누가 넘어질 작정이나 하는 듯이 수선을 떨며 눈마중을 말린다. 허 참, 살맛 없다. 그렇게 흑룡해는 저물어가고 나는 홀로 설원여행을 했다. 가로수 잔가지에까지 백설이 달라붙은 김제의 벌판길을 달리고 변산 바닷가 굽이굽이 마실길을 돌며 소나무숲에 얹힌 눈사태를 눈 시리도록 훔쳐보았다. 백설의 찬란함이여! 순백의 정결함이여!

한편으론 저 폭설에 죄 없는 산천에 아무 일이 없으려나, 몰매를 맞은 듯 부러지고 찢어진 나무와 상처 난 숲이 보였다.

아직은 음력 정월正月. 설한풍이 성하면 이른 봄볕이 더욱 기다려진다!

지난 겨울 폭설에는, 여름 장마철 폭풍우에 거목의 허리가 부러져나가듯이 곳곳 숲의 오래 묵은 소나무 참나무 은사시나무 개암나무도 갈라지고 찢어지고 중허리가 작신 분질러지기도 했다. 그래. 그건 자연이 생태계를 조절해주는 일이지. 저 아픈 나무들은 '왜 하필 나에게 재앙이냐?'고 불평하는 일 없이 그렇게 잊히고 삭아지며 옆옆의 더 어린 나무에게 빛과 바람길을 열어주는구나. 우수가 다가오면 서서히 잔설과 서릿발이 해빙되어 질척거리는 낮은 산자락 길을 춘풍이 오르락내리락, 춘광이 힐끗힐끗 다녀가며 산의 아픔을 다독여주겠지.

이 산 저 산에 터줏대감 같은 상록수 소나무조차도 거무칙칙하고 온통 희쭈그레한 잿빛 나뭇가지들뿐이다. 봄물 오르기엔 아직 이른데 을씨년스러운 산자락마다 다문다문 부연 살빛 구름이 떠 있다. 저건 필시 죽림竹林이다. 임실 옥정호를 끼고 한 바퀴 돌아보는데 촌가 산가의 울을 삼던 대숲마다 초록빛을 잃었다. 흥복사가 있는 서방산 중턱에도, 송광사와 위봉사를 끼고 도는 대아호 주변의 대숲도 온통 마른 황토색이다. 허전함이 꼬리를 물고 달려든다. 명창 권삼득의 산소를 둘러보는 길목에서도 대숲은 어김없이 삭은 갈대의 색으로 말라가고 있다. 겨울철에도 기상氣像이 성성한 대나무의 초록색은 온데간데없다. 까맣게 잊었던 어휘들만 휙휙, 마른 댓잎소리로 가슴을 훑고 지나간다.

양반집 밥상에 육선은 없어도 되지만 그 집에 대나무 없이는 선비의 집이 아니라 했지! 설한에 그 푸름이란 남성에겐 충절이고 강직함이며 여성에겐 정절이요 절개의 상징이었지. 대쪽 같은 기상이요 충절이라 했지. 그 뿌리가 얽히고 벋음이 천공을 뚫을 듯이 큰 키를 감당할 만큼 깊고 넓으니 이것이 박학다식博學多識한 선비정신이라. 뿌리가 깊어야 소신이 있는 법이다. 늦봄이 되어서야 생장을 더디 시작해도 제 그릇을 오래 준비하고 작정하여, 세상에 나와 일주일이면 평생의 키를 돋워내는 대나무다.

대나무는 무엇보다도 대금大笒을 지어 제 몸속의 텅 빈 소리를 길어 올리는 비음悲吟의 나무요 최고의 공명空鳴을 간직하는 나무다. 이생강의 대금소리에 홀려 내 슬픔을 부리던 젊은 날이 그립다. 쓰러질 듯 쓰러지지 않으며 여간해서 부러지지 않으나 결기를 보일 때엔 파죽지세를 드러내는 호방한 나무. 요즘엔 정의와 기백이 강고한 대쪽 같은 인물을 만나기가 정말 힘들다. 그런가 하면 몇날며칠이고 고민 고통에 잠 못 들어 뒤척일 때 문득 선각에게 듣고 싶은 죽비竹篦소리의 나무인 것을. 나로 하여금 깨닫게 하소서, 엎어져 간구하곤 했다. 나는 노리짱하게 말라붙은 대숲을 바라보며 죽어버린 나의 대쪽 같은 정신을 초혼하고 있다, 지금.

젊어 한때 꾸던 꿈, 허망하고 시린 꿈이 아련한 피리소리를 내며 흘러온다. 만파식적萬波息笛. 구국救國의 젓대소리로만 들릴 것인가. 낮에는 '니나무 내나무'로 생활하다가 '밤에는 둘이 한 몸 한 악기가 되어' 새로운 꿈의 노래를 짓는, '세상에 하나밖에 둘도 없는 사랑'으로 살아보자고 꾸던 꿈 만파식적. 만경창파萬頃蒼波의 막막한 어려움에 단비 되고 아픔에 영약靈藥이 되고 합심하여 한 길을 바라보는 사랑이고 싶어, 일엽편주 인생이 꾼 꿈 만파식적. 보통사람이 고해를 건너려니 풍랑 격랑이 어찌 없으랴. 그래도 백척간두百尺竿頭에서도 3년을 버틴다는데 하며, 살얼음판 같은 삶에서도 벙어리 3년 귀머거리 3년 소경 3년 세월에도 박살나지 않으려고 애간장 녹고 삭고 썩어 문드러지며 견디었는데. 그 알뜰한 시간일랑 모두 어디 갔을까. 그 살뜰한 노래는 모두 어디 갔을까. 환청일까, 나는 이따금 듣는다, 만파식적의 선율을. 이명耳鳴일까, 나는 무심코 부른다, 만파식적의 노래를.

그런데, 그 소리 모두 얼어 죽었을까, 느닷없는 혹한의 저 대나무들처럼……

갈수록 무엇을 견디는 일이 무섭고 힘이 든다. 피리를 불 힘은 고사하고 피리소리를 들어낼 힘조차 약해진 듯하다. 한 남자를 섬기며 혼신을 다해 생의 만파식적을 불던 날들의 피리소리가 애처롭기 그지없다. 내 인생은 노을이 지기 시작하는데……

남고산과 학산 자락을 비껴선 겨울하늘의 노을도 저 대숲 바람 소리를 걸러 듣고 우시는가. 물끄러미 승암산 자락에 희부옇게 사윈 왕대숲에 서 있으려니 노을이 점점 붉은 울음을 머금는다. 스스삭스스삭 마른 댓잎들 부대끼는 소리에 저 아래 마른 갈대 수풀에서 오목눈이 떼랑 방울새들이 낮고 작은 소리로 운다.

"사는 일 고단하다. 사는 일 슬프다. 사는 일은 슬프고 또 슬프다!"

토끼귀

토끼야, 네 귀는 왜 그리 기니?
둥근 달님 속에 계신 공주님께서
부르시는 소리를 얼른 들으려
길고 길게 자라났단다.

누구에게 이 노래를 배웠는지 몰라도, 어리디어린 나는 토
끼처럼 듣는 능력이 월등하고 싶었다. 잘 듣고 많이 듣는 것
은 지혜를 잘 배우는 것이라고 어머니는 이르셨다.
　우리 집엔 시인묵객과 교회어른의 내방이 끊이지 않아 그
잔심부름을 하는 아랫자리에서 얻어듣는 게 많았다. 밥상머
리에서, 학교에서, 교회에서, 시장거리에서뿐만 아니라, 대
학교에 다니는 막내고모와 큰언니의 손을 잡고 보디가드처럼
따라다닌 나는, 연극이나 영화 속 대사를 단시短詩처럼 저절
로 듣곤 했다. 내 귀는 점점 길어지고 인생이란 재미나고 즐

거운 것이라고 느꼈다. 무엇을 하든지 자신감과 긍정의 힘이 넘쳤다. 그림을 그리건 글씨를 쓰건, 공부를 하건 춤을 추건 토끼같이 순하게 귀를 길고 길게 세우며 성장했다.

그런데도, 발에 걸려 넘어지고 덜미 끌려 자빠진 결혼. 묵은 고정관념으로 말하자면 진흙바닥까지 엎어졌다. 그래도 살아있어야 하고, 결혼을 재수할 생각은 추호도 없었다. '산 입에 거미줄 치랴'를 믿고 살아도, 폭력남편이 없으니 야호!, 하루하루 숨쉬기가 괜찮았다.

어머니를 생각하듯이 늘 토끼의 귀를 생각하곤 했다. 정신을 차렸다. 일상생활에서 길게 비는 시간에 우두망찰하며 시간낭비를 하지 않고 책과 그림, 음악을 읽었다. 종교마다 읽고 영화 속 각양각색 인생을 이해했다. 때가 무르익었는가. 우주의 달님이 나를 부르는 소리를 들을 수 있었다. 나는 기죽을 일이 없었다. 토끼귀마냥 내 귀는 점점 길어졌다.

사람은 제 아픔과 불운 덕분에 남의 아픔과 불운을 돌아보게 된다. 생계를 위해 이런저런 좌절을 겪으면서, 숱한 남들처럼 살지 않아도 된다는 걸 깨달았다. 사람들의 차별과 백안시에 분노했지만, 까짓것, 고무신에 진흙 묻은 것처럼 씻어내면 그만이었다. 눈이 먼 사람은 눈앞의 이쁜 꽃을 보지 못하는 법이다. 내가 잘못 살고 있지 않다는 걸 의심한 적이 없었다. 아버지 어머니의 격려와 신뢰 덕분이었다. 내 목숨이 얼마나 귀하며, 내 인생은 오직 내거란 걸 절실히 깨달았다.

성심誠心으로 좋은 만남을 지어 좋은 이웃을 만들고 좋은 인생을 바라며 살았다. 부모에겐 효를, 형제 이웃에겐 우애 友愛하려고 애썼다. 부모에게서 보고 배워선지, 좋아하는 일은 식물가꾸기와 능력기르기였다. 씨앗에서 떡잎이 나고 새싹이 트면 대견히 여기고 꽃이 필 때마다 감사기도를 했다. 토끼귀처럼 길어진 귀로 식물의 말을 귀담아 들으면 마음과 몸에 잎이 무성해지고 꽃봉오리가 밀어 올랐다. 인간도 한 떨기 식물과 같은 존재다.

가까이 멀리, 나를 버리고 나를 찾아다닌 여행은 나 자신과 할 일과 딸의 인생에 대해 크고 넓게, 그러면서 세심하게 생각하게 했다. 낯선 땅의 남들이 어떻게 사는지 들여다보니, 누구라도 자기가 살고픈 대로 살며 운명을 소중히 포용하며 살아가고 있었다. 누구에게나 시간은 한 번뿐이고, 슬픔도 기쁨도 고난도 모두 인생행로의 한 요소일 뿐, 지나가게 마련이다. 다만 생명에게 주어진 천명을 수분하면 될 뿐이다. 어떤 상황도 사건도 결국엔 지나가는 어떤 일에 지나지 않는다.

비록 꿈꾸던 삶의 길로 적중하진 못했지만, 어차피 인생엔 여러 갈래 다른 길이 있는 법이다. 죄 없는 산천도 시련을 겪고, 그 고난을 견디고 이기며 숲이 되고 대해를 이룬다. 내 삶이 혹독할지라도 나는 실수와 죽음을 극복하고 생의 어떤 숲길인 오솔길로 걷고 있는 중이다.

인생은 높은 직위 없어도, 큰돈 없어도 살 만하다. 참 괜찮다. 고속도로인 양 쌩하니 달리는 것보다 오솔길과 샛길과 시냇가를 걷는 것을 참 좋아한다. 뜻이 닮은 동행이 있으면 한결 평화롭겠지만 혼자서도 잘 논다. 결국 홀로 서는 게 인생이다. 인생에 일등인생이란 결코 없다. 완전하고 완벽한 인간으로 천명天命을 받은 인간은 한 사람도 없다.

다만 나는 자주 묻는다. 최선을 다해 살고 있는가? 자신에게 그리고 자식에게 부끄럽지 않게 살았는가? 부모가 주신 내 생명과 세상에게 욕되지 않게 살았는가? 남말도 많고 흉도 많은 보통사람들이 보기에 '폭망'해도 괜찮다. 부모님과 딸에게, 오랜 이웃과 나 자신에게 부끄럽지 않으면 정말로 괜찮다. 지금도 마음과 육신에 난관이 생기면, 토끼의 귀처럼 길고 길게 귀를 세운다. 하늘의 말을 잘 들어보는 것이다.

아픔도 슬픔도 괜찮다. 괴로움도 어려움도 괜찮다. 잘하는 것과 좋아하는 것을 하며 뜻대로 살 수 있으면 괜찮다, 괜찮다, 정말 괜찮다.

지혜의 발견

　미국 오클라호마의 강제이주지역 소위 인디언보호구역에 체로키인디언이 산다. 유일하게 종족의 고유문자를 가진 원주민족이다. 그들에겐 일찍이 학교나 학원이란 것도 없고 딱히 교육이란 말조차 없었다. 다만 인생을 먼저 살아본 노인과 어른의 생활태도와 지혜를 받아먹고 살아왔을 뿐이다. 그들은 하늘 아래, 대지 위에서 겸손하게 삶을 안분지족安分知足했다.

　살다보면 호랑이와 늑대가 달겨들 때가 있다. 어떤 녀석을 두려움 없이 잡을 수 있을까? 체로키할아버지는 말했다. "네가 먹이를 준 녀석이 너에게 올 것이다."고. 난관에 투자를 하는 거다. 불행과도 친해질 수 있으면 극복되는 것이다.

　레오나르도 다빈치의 시 〈검정방울새〉는 나로 하여금 사람들에게 매이지 않게 했다. 사람에게 잡혀서 새장에 갇힌 새끼 새에게 어미 새는 독초를 물어다 먹이며 애자지게 울어댔다. 그 말은 "아가! 자유를 잃는 것은 죽는 것만도 못하단다." 였다. 그 지혜를 내가 물려받았다.

현대인의 성공잣대인 재물은 쓸모 있으나 더럽고 구린내 나는 똥과 같다. 똥이 집에 오래 있으면 화근이 되고 바깥에 마땅하게 뿌리면 거름이 된다. 재물 구하는 방법을 생활의 셈법으로 내려 받아 폼나게 째나게 살게 하려고 교육이란 게 생기고 교육시켜왔다. 하지만 인간은 그렇게 획일적이고 주입적인 교육으로만 교육되는 존재가 아니다. 가장 뿌리가 되는 교육은, 부모 사는 걸 보고 저절로 배워지는 가정교육이라 했다. 며느리 들일 때, 상놈이 돈 벌어 모은 부잣집의 딸보다 양반집안의 계집종이 낫다고 했다. 보고 배운 바가 우수하기 때문이다.

어느 날. 무남독녀 딸애가 희귀한 병명에 걸려들었다. 기도氣道가 지독히 협소하므로 길게 살아야 오륙년의 수명이 남았다고 한다. 그것만으로도 기가 딱 막히는데, 살아갈 동안에 뇌경색, 고혈압, 당뇨, 기관지염, 천식 등등으로 어떤 질병고난이 닥칠지 예측할 수 없다는 것이다. 게다가 취침 중에 돌연사할 수 있다고 당당하게 선고宣告하는 의사양반이사 희귀한 질환이 재미있을지 모르나, 난, 딱, 앞이 아득 캄캄했다. 의사가 교육받은 어떤 이론과 현대의학으로도 어미가슴의 통증을 해결할 수가 없다니. 차라리 암癌이라면 사력을 다해서 치유를 돕겠건만⋯⋯.

어두컴컴한 절망에 빠져 두뇌와 가슴 속에 켜켜이 박혀있는 지식과 도움 줄 만한 사람을 뒤적거리기 시작했다. 결정적 도움은 "누구나 다 죽어!"라는 몰인정한 한마디였다.

"이 고난 괴로움에서 벗어나려면 내가 죽는 게 나을까? 딸애보다 오래 살아서 딸애를 돌봐주는 게 나을까?⋯⋯."

"그래, 난 하늘같은 사랑을 주신 아버지와 36년밖에 함께 살지 못했지. 딸은 47년이나 가장 값없는 천혜天惠 같은 어머니사랑을 받으며 살았지. 그만하면 내 딸은 복되고 복되다."

"세월호의 아이는 성인도 못 된 채 꼬르륵 숨이 막혀 죽고 그 어머니는 가슴팍에 자식무덤을 지었다. 딸애와 나는 그보다 많은 날을 즐거이 누렸다." 생각을 정리했다.

건축가처럼, 궂은비를 가려줄 딸애의 집을 재설계해야 했다. 어머니는 대목수다. 땅다짐을 하고, 주춧돌을 잘 놓아야 한다. 기둥을 세운 후 도리와 서까래를 얹고 지붕을 인다. 그런 과정 동안 딸애는 의연하게, 긍정적으로, 대범하게, 처리를 잘했다. 딸애는 "하지 마라."는 말을 거의 듣지 않고 살아왔고, 나는 딸애에게 지구상의 인간 75억분의 1

만큼만 재미나게 살기를 바라며 하고픈 공부를 하랬다. 외조부의 삶의 지혜를 내가 내려 받았고, 딸이 내림하고 있다고 할까.

그런데 그 집의 서까래쯤에 나무벌레의 알이 잠복해 있었나 보다. 바로 이것이 운명일 것이다. 운명은 본디 개척해 가는 것이며 목적과 의지와 노력으로 바꿔가는 것. 딸애는 현명하고 즐거울 줄 아는 사람이다. 즐겁게 살기 위해 독서하고 머리를 쓰고 마음을 쓴다.

이제 더 큰 환난슬픔을 예방하기 위해 서까래의 구멍을 때우고 부목을 대어 가능한 한 집을 오래 건사해야 한다. 딸애의 목숨을 양생養生하면 된다. 어머니 말씀에, 아픔 슬픔이 있는 자는 인생을 조심조심 걸어가기에 고로롱팔십을 연명한다고 했다. 쓰디쓴 잔일지라도 내 앞의 잔은 내가 마셔야 한다. 정신을 다잡고 진력盡力하여 헤엄치는 게 고해苦海 인생을 잘 건너는 비법이다. 최선을 다해 이 난관을 끌어안으면 내 삶과 '한 살이 될' 것이다. 불운은 이겨내라고 있는 것이다.

딸아. 세상사람 어느 누구도 똑같은 생각을 하고 똑같은 인생을 꾸리지는 않는다. 각자의 코로 숨 쉬듯이 각각으로 살아간다. 딸아. 우리는 남들과 다른 방법으로 살아간다고 생각하자. 대단히 미안한 말이지만, 넌 절름발이도 곰배팔이도 아니다. 넌 멍텅구리도 말썽꾸러기도 아니다. 우리는 우리 방식으로 담대하게 즐기면서 우리 인생을 꾸려가자.

딸아. 너는 어리석지 않다. 바다에 금강석을 떨어뜨렸다고 해서 해저를 뒤적이거나 금강석이 떠오르기를 소원하고 기도하겠느냐. 어차어피 네가 바라는 삶은 남과 똑같지 않았다. 너는 남과 다른 방법으로, 너에게 필요한 방식으로 살면 된다. 그것이 화이부동和而不同이다. 하루를 한 달처럼 화평하게, 평이하게, 우애하며 살면 잘 사는 것이다.

지혜는 난관 불운을 먹고 싹튼다. 난관 불운도 복이 된다.

누비포대기의 연민

진달래꽃 색깔의 누비포대기는 어린 딸애의 첫 애착물건이 었다. 그래설까. 성장 후에도 분홍색깔 옷이나 물건을 자주 애용한다.

찢어진 내 젊음의 슬픔과 어떤 운명도 해칠 수 없는 딸을 향한 연민의 울음을, 누비질 골골에 바늘땀 구멍구멍에 채운 누비포대기. 그 어휘의 기억만으로도 눈시울이 뜨끈하다. 살림밑천이라는 첫딸, 여자의 첫정이라는 첫아기를 기르면서, 나는 상한 고목 같았었다.

태내 280일을 채우지 못하고, 출산의 이슬이 무엇인지도 모르는 채, 하루 온종일의 진통 후에 산부인과 의사(임홍정 산부인과 원장)의 도움으로 끌려나온 아기는 2.2kg으로 체중미달이었으나 두뇌가 크게 발달했으니 걱정 없겠다고 했다. 자식을 사랑하지 않는 어머니가 있을까만, 나는 '짠한 연민'을 덧보태며 딸애를 양육해야 했다. 나는 어머니인 고로,

내 자식의 신神인 고로.

아기는 거의 울음소리를 낸 적 없이, 눈웃음을 띤 채 마디게 자라났다. 이 아기를 그 아버지에게 훌쩍 맡기고 그 상황에서 도피하고 싶었던 시간들을 어떻게 웃으며 살 수 있었겠는가. 162cm 신장에 40kg의 체중의 몸으로 잠 못 이루며 생활해야 했다. 사람을 좋아하며 천진하게 성장한 내가 많은 가족의 치다꺼리에 피죽도 못 먹은 사람꼴이 되었다. 부모형제 외엔 과거의 연을 몽땅 잘라내고 살았다.

얼토당토않은 건 시집살이의 고단함이었다. 얼굴 한번 본적도 없고 정다운 말 한 번 입을 섞어본 적 없는 사람들의 제사상 차리기와 뒷바라지는 몽땅 내 몫이었다. 시부모 형제자매들은 목구멍에 걸린 쓰디쓴 가시였을 뿐이다. 그들이 나에게 사용한 용어나 행위는 무지몽매했다. 막내야, 마리아야, 벙치=벙어리새야, 로 불리던 나에겐 생지옥이었다.

누비포대기에 감싸여 내 등이나 가슴에 붙어서 한 몸처럼 자란 딸아이는 영민하여 빨리 글자를 터득했다. 네 살 적부터 도서대여점에서 만화책을 빌려다 보고, 다섯 살엔 이미 웬만한 영화줄거리를 이해하기 시작했다. 피아니스트 백건우의 독주회에도, 박종화 선생의 모든 연극공연에도 최연소관람객이었다. 딸애는 공연장이나 극장에 입실을 거절당한 적 없을 정도로 관계자분들이 익히 알고 통과시켜주었다. 박종화 선생님은, 당신 연극의 최연소관객이라며 앞자리에 좌석을 배려해주시곤 했다. 여섯 살 때까지 그 모든 자리에 누비포대기에 업히거나 안겨서 갔다.

딸과 나는 한 체온으로, 둘이서 하나로 온기를 섞고 살았다. 공연이 끝나고 밤중에 귀가할 때에나 제사의 뒤처리까지 끝내고 한밤중에 터벅터벅 내 집으로 걸을 땐 지친 몸으로 딸애를 업어야 했다. 등허리와 발뒤꿈치는 무너지고 쪼개지는 듯이 아파도, 설움을 꿀꺽꿀꺽 삼키며 어둠속을 걸어야 했다. 차라리 기나긴 칠흑의 미로로 미끄러지고 싶었다. 반병어리로 살았다. 오직 '참을 인忍 세 번이면 살인도 면할 수 있다' 던 어머니 말씀을 되뇌곤 했다.

"엄마, 어떻게 여섯 자식을 기르셨어요? 애를 업고 걸을 때마다 얼마나 힘들고 온몸이 아픈지……. 먹을거리라면 아무리 귀한 음식이라도 내던져버리겠어요!"

막내딸에게 지어주신 친정어머니의 백일선물. 나와 내 딸을 한 몸이게 해준 누비포대기. 그런 포대기를 나는 딸에게 해줄 수 없다.

자식이라는 평생의 짐을 지기에 나의 본성은 맞지 않았을지 모른다. 사는 내내, 여성인 어머니가 어머니로 사느라 참으로 많은 희생과 인내와 기도로 사심을 저절로 보고 배운 내가 어머니가 되었으니, 오직 자기이기를 포기하고 어머니로 살 수밖에 없다고 스스로를 달랬다. 딸애가 낳아달라고 원하여 나에게 등짐을 지운 게 아니라, 내가 낳은 책임과 죄를 깨닫고서 말이다. 아무도 이 무겁디무거운 책무를 지우지 않았다. 낳은 자의 책무가 가장 무겁고 두려웠다. 사람은 태어난 운명대로 산다는 둥, 팔자는 못 속인다는 둥, 그 가당찮은 말 정도는 나에겐 도피처도 핑계도 되지 않았다.

이 세상의 그 누구 또는 그 누구의 인생을 알기 위해 힘껏 읽고 공부한 게 아니다. 오직 나와 내 인생을 직시하고 응시하기 위해, 그리하여 오직 나와 내 인생을 내가 끌고 가기 위해서였다. 과학 역사 철학 종교가 무엇이랴. 그 모두 인간과 인생을 기록하고 사유하고 길을 제시한 것이다. 내가 나를 찾는 구도의 길이 내 인생길이며, 나는 헛살거나 잘못 살고 싶지 않기에 노력과 근면으로 내 인생을 책임지려고 경주해왔다.

그중에 제일 무겁고 내려놓으려야 내려놓을 수 없는 책임이 딸의 양육이었다. 내 인생의 90%를 쏟아부었다고 해도 과언이 아니다. 나를 위해서는 잠을 줄이고 얻은 시간을 썼다. 55세쯤까지, 하루 4시간 이상 잔 기억이 별로 없다. 그 성실과 노력이 내 목숨을 끌고 온 견인줄이었다. 잠 줄여 책만 읽어대는 어머니의 EQ가 딸에게 유전되었는지 모른다.

누비포대기. 어느 하루도 잊은 적 없이 내재되어 있는 어머니. 그 어머니가 나를 포대기에 업어 기르실 적의 기억은 없다. 다만 내가 어린 딸애의 어머니이면서, 어머니가 건네주신 누비포대기로 딸과 내가 이인일체二人一體가 되어 살았다. 누비포대기. 어머니의 삶은 내림인 것이다. 어머니가 나를 양육했듯이 나의 딸을 양육하여 어머니의 은공을 갚는 것이다.

진달래꽃 색깔의 누비포대기가 내 딸을 위해 아직도 필요하다. 딸이 성숙한 성인일지라도 나의 딸이므로 내 기도의 품이 여전히 필요한 것이다. 딸을 위한 기도가 끊어질 때는 어머니인 내가 죽을 때이다.

나는 언제 나일까요?

이따금 우리는 스스로, 스스로를 분석할 때가 있다. 우리는 철학하는 지성인이기 때문이다.

내가 나를 분석할 때는 특히 무대예술의 공연장이나 콘서트홀, 미술관에서 그러한다. 그런 곳들은 현실세상 또는 사람과 연결되는 깊은 뭔가를 느끼게 한다. 그 예술품과 대면하는 순간에 꼬치꼬치 자신을 따져본다.

심히 외롭거나 힘들 땐, 성당에 가서 그 오래되고 성스러워 보이는 건물과 실내의 눅눅하고 깊은 분위기를 물끄러미 바라본다. 때론 오래된 자신의 책 한 권 들고 숲그늘에 홀로 앉아서 오래된 내 글을 읽을 적이 있다. 그 독서에선 과거를 분석하고 비판하며 묘한 치유력이 생겨난다. 과거에 매질하고 눈을 흘기고 다독이고 그러는 것이다.

한때 종교는 내 인생의 시계탑 같은 것. 그곳을 보며 시간을 깨닫고 시간에 맞춰 움직인 것이다. 종교는 선을 위해 시작했으나 어느 결에 전제군주처럼 되었다. 역사적으로 보면 종교는 가장 정치적이 되기 쉽고, 민중에게 남용되고 민중 위에 군림하기 딱 알맞았다. 종교세계도 동서양과 역사에 따라 달랐고 마치 블랙홀 같은 것이다. 블랙홀이 삼천대천세계만큼 있대도 내가 살고 가는 세계는 지금 여기, 이 나라 이 땅, 이 시간이다. 내 사랑과 자비는 이 땅에 있어야 하고 내 밥과 이웃도 이 땅에 있어야 한다.

시계가 꼭 시계탑에 있을 필요가 없다. 더구나 시계가 시계탑의 한가운데 있으란 법도 없다. 시간을 표시하는 건 어디에 있어도 시계이고, 또 시간은 시계를 관심두지 않아도 흐르고 있으며 아무도 시계를 보지 않아도 또박또박 지나가고 있다. 그런데 권력은 시계탑자리를 정한다. 그 무지하고 무시무시한 권력을 나는 싫어한다.

나는 유일한 가족인 딸의 일을, 모든 남의 일이나 사회적 일보다 중시한다. 마지막까지 할 일은 내 딸의 어머니역할이라고 생각한다. 그 일을 제대로 할 수 있기를 소원한다. 시인이고 작가로서의 일은 외로운 골방에서 고독하게 진행한다. 여느 건축물에서 비대칭의 균형미를 찾아보듯이 그런 글을 쓰고 싶어서다.

흔해터진 직선분할의 건축에는 흥미가 없다. 인생은 보편적인 균형에 맞춰 이뤄지는 게 아니다. 인체의 대칭도 정확하지 않다. 케케묵은 이전의 이론과 형식만 가득한 글은 향신료로 맛을 낸 거리음식 같아서 음미할 맛이 아니 난다. 십년이면 강산도 변한다는 말은 옳다. 십년이면 이제까지의 누적된 지식정보의 배가 된다고 하는 현대다. 지붕과 마당에 우두두두 떨어지는 빗소리가 시원하고 후련할지라도—요즘에는 그마저 들을 수 없다— 처마 아래로 방울방울 톡 톡 톡 떨어지는 동그란 빗물방울의 음악 같은 느낌이 훨씬 감동적이고 사색적이다. 시골길에서 빗속을 걸으며 빗방울소리에 무심하다가도 길가 슬레이트지붕의 처마 아래 들어서서 낙숫물 소리를 들으면, 천상에서 보내온 악곡 한 가락을 영혼으로 받아든다 —사라진 놀이이다.

건축설계전람회에서다. 한쪽엔 둥근 기둥, 한쪽엔 네모기둥을 세운 설계를 발견하고 그 앞에 섰다. 히야아. 옳거니. 그렇게 지어도 좋겠다. 미국적이고 오래 길든 직선의 네모기둥과 고대 신전이나 우리의 목조건축 기둥 같은 둥근기둥이 공존하는 설계도. 얼핏 낯설지만, 자세히 보니 모두 익숙한 기둥들 아닌가. 저 설계도는 바로 나 자신의 모습이다. 내 속엔 고대와 현대가 함께 있고 미국과 한국이 함께 있다. 그냥 공부되었으랴. 공부는 그 흔적을 사람에게 남기는 법이다. 인생이란 네모만일 필요도 없고 둥글기만 할 까닭도 없다.

자본가는 최소경비로 최대이익을 쟁취하기 위하여 간편하고 천편일률적인 주거를 공급한다. 특히 직선문화 네모문화는 생활방식과 사고체계를 획일화했는데, 나도 은연중에 길들어졌을 것이다. 그러나 인간의 육체는 곡선이며 내 영혼은 단 한 번도 직선인 적이 없다. 나는 쌀 콩 배추 무 사과 과일 등등 곡선의 물질을 먹고 살아간다. 해 달 별, 산 강 바위 나무 꽃잎까지도 곡선이다. 우리 눈은 둥글게 사위를 본다. 나는 둥근 기둥이 편안하다. 끌어안고 가슴과 볼을 대어보고 싶어지는 것이다. 아아, 참, 그렇다. 우리 어머니의 젖가슴도 볼록한 뱃살도 곡선이고, 자녀를 품에 안은 어머니의 팔과 애정을 교감하는 얼굴도 곡선이다. 그 무엇보다도 아름다운 곡선. 우리를 사람답게 양육하려는 어머니의 사랑과 교육방법도 곡선이었다.

남들이 사는 방법과 사고방식대로 살 필요나 이유는 없다. 부모가 깨우쳐준 의식으로, 깨어난 정신으로 나를 살고 싶었다. 남들이 살아온 과거(역사 속에서의 삶)를 앵무새나 원숭이처럼 쬐끔 따라하는 말과 행동으로 살고 싶지 않다. 역사적으로나 현실적으로나 나는 오직 나뿐이며, 나밖에 없으며, 나는 오직 나다.

내가 찾은 내가 아프고 서럽고 어리석은 바보일지라도 어쩔 수 없다. 나라도 나를 제대로 알아야 한다. 그래야 사람을 알고 인간을 배운다.

죽음처럼 '고도'를 기다리며

　지금, 여기에서, 나는, 무엇을, 생각하는가?

　요즘, 집안에서, 나는, 죽음을, 골몰히 생각한다.

　죽음 이후에, 저승에서의 내 삶을, 그리는 글을, 쓰고 싶다.

　죽음 후 곧장 주검이 되고, 주검은 사물에 지나지 않으며, 곧 지상에서 치워야 할 상한 사물-분리수거해야 하는 쓰레기가 된다. 격식과 예의를 갖춘 장례 운운하며 야단법석을 떨지만, 그 모두 죽은 자에게는 한갓 헛짓에 불과할 뿐이다. 생존시에 사람다이 인정을 드리지 못한 주검 앞에 두 번 절을 한들 조의금을 던진들, 모두 산사람들끼리 얼굴내기 행위일 뿐이다. 주검에겐 물 한 모금의 복덕도 되지 않는다. 그러므로 나는 살아있을 때 메멘토 모리Memmento mori(죽음을 기억하라)하고 지금, 여기에서, 살아있는 그와 만나, 대화와 밥을, 함께, 먹어야 한다.

나는 제법 오래 살았다. 살아보니 18평아파트도 넓다. 꼭 원하는 것과 버려도 좋을 여러 가지 것들을 함께 넣을 수 있다. 어떤 장소에 잠시 머무는 여행을 홀가분하게 나다니면서, 소유물을 비우고 물건욕심을 줄여 살았다. 생각하건대 이 땅과 후손에게 남겨줄 것은 예술품과 지혜서가 될 글줄뿐이다. 나는 일상용품과 생활용품을 가끔 버리고, 수시로 버리고, 매일 버린다. 관습적 시각을 깨버리니 삶을 대범하게, 자유로이 보게 된 것이다. 여행에서 쓸만한 지혜를 얻은 덕분이다.

　참 오랫동안 나는 사무엘 베케트처럼 '고도'를 기다렸다. 대학시절에 사무엘 베케트의 노벨문학상 수상작 『고도를 기다리며』를 읽고 연극을 관람한 후, 허망하고 고독했다. 기독교인으로 '고도'를 무조건 기다리며 자란 소녀가 야심하도록 아버지의 발걸음소리를 기다릴 때처럼 자주 나의 갖가지 '고도'를 기다리기 시작했다.

　결국엔 '고도'를 찾아 헤맸다. 기나긴 기다림은 결국 방황을 지양止揚할 것과 인생에는 기다릴 것이 없다는 걸 알게 했다. 나의 '고도'는 이 세상 세계에 이미 존재하는 걸 느낀 것이다. '고도'는 나의 아버지 어머니고, 즐거이 만나는 이웃 사람이고, 진리서 속의 깨달음이고, 만물 자연의 끊임없는 변화를 알아채는 일이고, 알 수 없는 우주와 그 바깥이고, 죽음과 그 너머라는 걸 각성한 것이다. 인간과 삶을 어찌 볼 것인지 진정 이해한 것이다. 인간이 존속하는 한, 고도는 세상천지에 널려있고 인간은 각자의 고도를 꿈꾸며 기다릴 것이다.

모든 인간은 죽음 앞에서는 모두 실패자다. 그 허망, 허무, 허상을 오도하는 것이 천국, 극락이요, 인간에게 허욕, 허위, 허심을 심은 것이 '고도'다. 나치이데올로기와 홀로코스트를 깊이 파니 죽음만이 난무하고, 관여한 인간은 모두 인생의 실패자라는 걸 확인했다. 독일인도 유대인도 모두 실패자였다. 위대한 역사적 인물을 뒤적여도 모두 실패자였다. 그들은 하나같이 모두 죽었다. 그리고 다시 오지 못했다. 죽음을 관통하거나 깨트린 사람이 없다. 인간은 오직 살아있음만이 능력이고 권리고 할 일이다.

아직도 가끔, 미술관으로 콘서트홀로, 양서良書에게로 여행을 한다. 인생공부가 아니라 보고 듣고 느끼는 즐거운 체험을 하는 것이다. 오직 한 번뿐인 이승살이를 내가 좋아하는 방식으로 즐기는 것이다.

혹자는 폰이나 인터넷이나 USB면 족하다 하지만 나는 디지털에 별로 발을 담그거나 손을 적시고 싶지 않다. 그 세계는 내가 보고 듣고 만난 적 없는 강산에 불과하다. 그 강산도

강이고 산일 뿐임을 알지 않는가. 내 육신이 아날로그이기 때문인지 아날로그 세계가 나에겐 좋은 세상이다. 디지털에서 범람하는 수많은 새와 화초를 보아도 감흥 감동이 거의 일지 않는다. 디지털세계에 떠돌아다니는 지식과 교훈적 말을 제발 읽고 싶지 않다. 그런 것으로는 내 얼굴에 미소를 짓지 못하고, 내 입속에 상추쌈이나 난화주 한 입 맛보여주지 못한다. 나는, 나답게, 나로, 살기를 원한다.

봄에 수레국화씨를 뿌렸더니 지금 그 꽃이 피고 오이고추 모종을 심었더니 고추가 열렸다. 산다는 것은 이런 행위요 과정이요 결과 같은 것이다. 글은 이 모든 바탕 위에서 창작된다.

정신적 활동은 뇌의 형태를 만든다. 운동, 소리, 빛, 명상은 뇌의 신경가소성을 확장해 준다. 기쁨 슬픔 고통 좌절 불운 등으로 상처가 많은 사람은 불면증이라는 상처를 받는다고 한다. 인지속도가 평소와 달리 술에 취한 상태 같아서 몽상, 환상, 추상이 넘나들 수 있다. 뇌의 가사상태를 즐겨보는 것이다. 이런 불면의 밤에 죽음과 죽음 이후를 몽상하고 환상한다. 서서히 어느 순간에 꼴까닥, 주검 같은 잠에 빠진다. 가상입적을 하는 것이다.

사무엘 베케트의 '고도'는 끝내 오지 않았다. 오지 않을 '고도'를 기다리며 허송세월하는 시간에 나는 즐거이 살아보리라. 사람이 세운 이상이나 꿈이 인생에 무슨 도움이랴. 베케트는 허상의 '고도'를 기다리는 어리석은 인간을 그려낸 것이다. 호호호 하하하 허허허!

나의 '고도'는 다 늙은 절대고독의 '나'였다.

불행하면 안 되나요?

세상에 안 되는 거란 없다. 있을 수 없는 일이란 것도 없다.

그렇다 해도 사람들이 포용하지 못 하는 일이 있다. 불행이라는 어휘가 품고 있는 상황이다. 불행은 비참하고 혹독하고 가치 없는 사건 상황이라고 생각하기 때문이다. 게다가 보통 사람들의 두뇌는 이 말을 앵무새처럼 되뇌며 세뇌되고 있는 점이 문제다. 불행이 없으면 진정한 인생을 배우거나 사유하지 못한다는 점을 간과하는 것이다.

인간은 엄밀히 불행한 과정의 일생을 겪는다. 성공한 사람, 훌륭한 학자, 재력가는 행복한 인생이라고 착각하지 말아야 한다. 간단명료하게 말해서, 석가모니도 세종대왕도 에디슨도 불행을 참고 견디며 이겨내야 하는 삶의 질곡과 생로병사라는 불행한 과정을 겪었다.

생명의 씨앗은 정의 맺힘이다. 정이 맺히기까지의 남녀유

희를 사랑이라고 하지만, 그 행복하다는 시간은 일생의 몇 분의 몇이나 되랴. 아무리 미화하여도 환상 환몽에 지나지 않는다. 그러므로 예술에서 사랑을 노래했을 것이다. 소유하지 못했으므로 미화했을 것이다. 어쨌거나 사람의 씨는 어머니의 칠흑의 태 안에서 280일을 견뎌야 한다.

사랑의 씨이자 사람의 씨를 품고 임신부로 사는 여자는 진실로 행복할까? 불행하면 안 되나요? 임신부는 먹기도 어렵고 육체적 정신적 사회적 활동도 상당히 불행하다. 자기 정체성을 잃어가고 있는데, 인사랍시고 "행복하세요!"를 남발해오면 헛웃음 코웃음 쓴웃음이 나오지 않겠는가. 진정 행복할까?

드디어 출생. 한 사람 인생의 진정한 시작이다.

출생은 두 생명의 지독한 고통이고 환난이다. 산모는 하늘이 덮치는 것 같은 두려움과 몸을 찢어발기는 것 같은 고통과 분노를 겪는다. 그런가 하면 신생아는 그 산모의 100배에 준하는 고통 시련을 겪어내야 세상 속으로 출현한다. 신생아가 그 고통을 호소하고 고통에서 해방되는 증거가 첫울음이다. 인생은 이렇게 시작된다. 진정 행복할까?

이젠 늙기까지 살아가라, 아니 살아보라. 평탄한 길은 없나니 단 하나도 없다. 부모복이 원만하기로야 석가모니만 하랴! 성불하기를 원하지만 부처님처럼 사는 사람을 못 보았다. 어린이가 성장하려면, 쏟아지는 잠과 놀이를 젖히고 써먹지도 못할 공부를 두루 하느라 짜증 분노가 폭발하려는 상황을 겪어야 한다. 좀 견딜 만해지면 스스로 알아서 살아야 하니, 일을 해도 살고픈 대로 살지 못한다. 부모의 권력 재력의 덕을 본다 해도 그 인생은 거지인생이나 마찬가지다. 자의와 자기를 살리는 행동이 없는 인생이므로. 그러고도 진정 행복할까?

그냥저냥 밥 먹고 살아도 칠팔십 년이고, 별난 것 먹고 입고도 엉덩이 까고 앉아 분뇨 배설하며, 행복하겠다고 할 짓 못 할 짓을 해도 기껏 칠팔십 년 산다. 늙은 피부는 저승꽃 투성이고 늙은 두뇌는 재생이 불가능한 잿빛이다. 발버둥 치며 발악을 해도 늙어 잘하는 일은 병드는 일. 기껏 칠팔십 년간 별의별 짓을 해서 병드는 인생이다. 진정 행복할까?

이제 남은 인생의 과정은 죽음뿐이다. 그런데 노인이 되어서도 죽음을 사유하지 못하고 백 년이나 더 살듯이 나댄다. 어리석게도 죽으면서 갖고 갈 것도 아닌 거에 매달리고 있다. 죽음에 이르는 노인을 여럿 지켜보았지만 행복해하진 않았다. 이런데도 노인들이 가장 지겹게 이웃에게 표현하는 말이 "행복하세요!"다. 행복의 진의를 깨닫기나 했는지 원.

내가 친지 친우들에게 뭘 하려는지, 내가 그들에게 뭘 바

라는지 아무도 모른다. 하하, 나는 남에게 아무것도 바라는
게 없다. 충분히 가졌으니까. 아니 넘치게 가졌으므로.

난 인생을 억울하다고도 분하다고도 생각하고 싶지 않다.
시간이 절로 오고 가고 나는 시간과 더불어 인생의 108번뇌
를 겪어보았다. 인생을 제대로 살아본 것이다. 이것이 불행
인가?

시간에는 해든 시간이 있고 폭풍우에 휘둘리는 시간도 있
다. 시간에 따라서, 방구석에서 라디오에 심취하여 음악을
듣다가 벼락을 맞아 죽는가 하면, 원자폭탄과 쓰나미에서 살
아남은 사람도 있다. 누구에게나 똑같이 내리쬐는 햇볕의 열
기에 허덕이며 죽는 노인이 있는가 하면, 그 지독한 고온 덕
분에 좋아하는 돈을 몽땅 번 사람도 있다. 누가 불행하고 무
엇이 불행인가?

행복과 불행은 암수한몸이고 손의 양면이고 빛과 그림자처
럼 붙어 다닌다. 그것의 주인은 자기다.

인생이란 시간의 흐름을 말한다. 그대에게 장대비를 맞으
며 걷거나 설한풍 몰아치는 날이 있었다고 해서 죽음에 도달
했는가요? 지금 살아있다면 그대는 잘 겪고 잘 살아낸 것이
다. 인생이 어찌, 해 들고 선선하고 하늘 푸르기만 하겠는
가? 그런 날만 있다면 인생의 맛이 없다.

우리는 불행을 말할 줄 알아야 한다. 불행을 건너면서 함께 앉아 시난고난한 이야기를 서로 말하고 들어줘야 한다. 그래야 괴로움 슬픔 분노가 약화 되고 인생의 약이 된다. 나는 인생의 절반도 안 되는 불행을 인생의 과정이라며 이해하고 포용한다. 이게 인생의 절반을 놓치지 않는 일이다.

나의 불행을 이야기하면 안 되나요? 당신의 불행을 이야기하면 안 되나요?

정답 없는 놀이

인생은 나에게, 풀어도 풀어도 풀지 못한 파이π 같은 수수께끼놀이였다. 한 고개 두 고개 육십 고개를 넘을 때까지 인생의 문제에 정답을 얻고자 마음의 눈과 손에서 떼지 못한 채, 풀어보려고 애를 썼다. 아직껏 똑 떨어지는 확답을 찾지 못했기에 인생문제의 답은 파이π다.

그렇다고 인생을 결코 모른다고 생각하진 않는다. '왜? 어떻게?'를 확언장담確言壯談할 수 있는 인간, 인생이 어디 있는가? 인류역사에 가장 위대한 4대성인일지라도 오늘날의 현대인간 인생에 완전히 합당 적확한 답은 아니다. 그들의 답도 몇 십만 단위까지의 π 같은 답이 될 뿐이다. 현재 π는 소수점 이하 1백만 자리까지 풀어놓고 있는 상황이다.

행복도 불행도 완벽한 답이 없고 천국과 지옥도 만인만답萬人萬答이다. 요지가지 답이 오히려 언론기사에 있다. 박근혜게이트에서 박근혜맹신부대의 정답과 민중촛불부대의 정답이 확연히 다른 것은, 언론에서 가장 잘 증거 되었다. 이건 개인의 진실보다 흥미진진한 역사적 사실이다. 그러나 민중이 승리한 이 사실의 정답도 사유할수록 π다.

인생에 철이 들수록, 기성관념 내지 기성관념에 찌든 노인을 결코 좋아할 수 없다. 젊은 표현으로 "꼴값 하는 사람"이 싫다. 늙음은 세월의 흔적이지 벼슬도 지혜도 아니다. 오히려 낡고 퀴퀴한 고집이요 때타고 금이 간 생각의 집이 되기 쉽다. 나는 스스로 이걸 인정한다. 그래서 날마다 내 몸의 죽은 세포와 몸속 찌꺼기를 버리듯이 구습의 고정관념을 버리려는 것이다.

현대여성을 관찰하며, 고전古典 소포클레스의 외디프스 콤플렉스를 100% 인정할 수 없으며, 굶주린 배를 채우기 위해 자기가 낳은 자식을 맛나게 먹은 중국中國의 고사古事를 야만이라고 경원할 필요도 없다. 인간이 어찌 그럴 수 있냐고 외치며 선한 사람인 양, 자기도 타인도 속일 필요가 없다. 먼 먼 지난날의 인류역사도 자연의 역사에 불과했다는 것을 아는 자는 그런 위선적 태도를 보일 수가 없다. 인간에겐 완벽한 희망도 완전한 절망도 없는 것이다. 어디까지나 인간의 문제는 π인 것이다.

나는 아주 어려서 6·25전쟁을 겪고, 그 후유증의 생활환경 속에 허덕이는 어른과 친구들 속에서 성장했다. 그래선지 가난이나 외양의 추레함을 증오멸시하지 않았다. 일점일획도 바꿔놓을 수 없는 그 역사적인 조상의 무능력을 악용한 권력의 불의와 횡포를 증오할 뿐이다. 그것은 대한민국의 역사에서 지울 수 없는 주홍글씨 같은 것이잖은가. 아직도 그 주홍글씨 문신을 지워내지 못한 우리가 서럽고 안쓰러울 뿐이다.

우리가 살다 가야 하는 인생은 텃밭의 농사 같은 것이다. 내가 손을 보지 않으면 폐허 쑥대밭이 되거나 그냥 방치되어 무성하게 얼크러설크러진 잡초밭이 된다. 그러므로 나는 인생의 밭을 갈아엎어 갈바래고 인간에게 필요한 씨를 뿌리고 가꾸고 거두기를 지속하려고 부지런히 노력한다.

비록 능력이 적은 작가라 해도, 아무리 소모품 같은 사고思考 사색思索을 할지라도, 그것이 인생의 정답을 계속 풀어가는 방법이고 태도라고 생각한다. 이순耳順이 지나면서부터 진심으로 천진한 아이로 거듭난 나는 정직하게 내 인생철학을 쓴다. 어쩌면 인간과 인생사의 답인 π의 완성은 죽음일지도 모른다.

허나 나는 나의 진실, 내 인생의 답을 탐구하고 있다. 나아가 인간의 진실 진리를 추구하고 있다. 아직 살아있으므로. 비가 억수로 퍼부어져 옴싹 젖을지라도, 눈발에 펑펑 덮여서 몸을 꽁꽁 움츠릴지라도, 저기 저곳에 여전히 태양은 찬란히 타고 있음을 알기 때문이다.

지금 우리나라 대한민국에 장대비가 쏟아진다. 이 비를 응시 직시하며 끕끕하게 젖은 인생들과 그들의 인생에 대하여 질문한다. 그리고 아픈 손가락에일 망정 볼펜을 쥐고 답을 찾아 또 한 자리를 풀어본다. 답은 여전히, 가장 근사치일 뿐인 π일지라도.

용서할 권리 또는 자격

어렸을 때의 교육은 평생의 뿌리가 된다. 어른이 되어 까마득히 잊고 사는 것 같아도, 어릴 적 교육은 일생에 영향을 끼친다. 역시 가정교육과 학교의 기초교육은 그 인생관의 뿌리다.

나의 두뇌와 가슴에는 돌에 새긴 듯 새겨진 말이 있다. "일흔 번을 일흔 번까지라도 용서하라."고. 어머니가 애독한 성경말씀이라기보다 어머니의 말씀이며, 사람관계에서 가장 바르게 사는 방법이며 인격이었다. 어머니는 그 무엇보다도 "아가! 용서하는 사람이 되어야지, 용서 받는 사람이 되지 말아야 해."라고 이르셨다.

용서받는다? 용서를 받으려면 크건 작건 잘못이나 죄를 저질러야 한다. 곧 잘못을 저지르는 사람이 되지 말라는 뜻이다. 남의 것을 탐내거나 시기질투하지 말라는 것이다. 나는 소위 사랑과 풍족함 가운데 자라서인지 지족하는 어린이였다. 나아가 죄는 미워하되 그 사람을 미워하지는 말아야 한다고 했다. 그 덕분인지, 나는 죄의 실상을 싫어하고 미워해도, 사람을 미워하기는 힘들었다. 그 대신 그 죄인을 내 정신과 생활에서 분리하고 잊는 방법을 터득했다.

인간은 모두 변화하는 존재다. 만나는 사람과 체험하는 일들이 우리로 하여금 생각하게 하고 변화시킨다. 나에게 불운, 고통, 고난, 울분을 준 사람을 용서하기란 참으로 힘들었다. 어른이 되어 어머니말씀 중에 늘 되씹은 말은 "참을 인忍 세 번이면 싸움은 물론 살인도 면할 수 있다."다. 백천만 번 옳았다. 가지가지 일들을 인내로 견디며 살아왔다.

'나치 헌터'로 유명한 시몬 비젠탈(나치전범 1,100여 명을 추적하여 심판대에 세운 사람)의 질문을 읽으며 '나의 용서관'을 촘촘히 생각해보았다.

죽음을 앞둔 나치장교 한 사람이 제발 유대인 한 사람을 만나서, 자기가 저지른 극악한 죄를 속죄하고 용서받기를 원했다. 시몬은 그 사람의 용서받고자 하는 요청을 거절했다. 시몬은, 억울하고 원통하여 분노하며 그들의 신=하나님까지도 믿을 수 없는 채 죽어간 거의 600만 명의 그 유대인이 아니기 때문이라고 했다. 그들은 이미 두렵고 고통스런 지옥을 체험하고 저승으로 갔다. 용서는 그가 죄악을 저지른 '바로 그 사람'에게만 빌 수 있는 것이다. 도대체 누가 누구의 죄를 대속하고 용서한다는 말인가!

얼마 전, 정신대할머니 박옥숙 씨가 영원한 침묵의 나라로 사라졌다. 대한민국의 역사와 공무원은, 전범국가인 일본과 일본인은, 그리고 그의 부모형제는 그에게 저지른 죄를 회개하고 용서를 구한 적이 없으므로, 다시는 그들의 죗값을 치를 '용서'를 얻지 못했다. 죄를 느끼거나 깨닫지 못하는 사람은 이미 인격권을 상실한 자다.

오랜 동안 나는 세상엔 용서하지 못할 게 없다고 생각했다. 아니 용서하고 용서받을 일을 가능한 한 저지르지 않고 살았다는 게 맞다. 또 뭇 사람은 흔히 말한다, 신에게 엎드려 용서를 빌 수 있다고. 아니다, 결코, 그렇지 않다. 신은 고통과 울분과 죽음을 당한 자가 결코 아니잖은가. 나에게 죄를 지은 자가 나에게 참회하며 용서를 구하지 않고, 하나님 부처님 성모님이라려……. 가상의 다른 존재에게 엎드려 자기 죄를 고하고 용서를 받았다고? 죄를 뉘우치고 용서받았으니 무구하다고? 성숙한 사람이라면 절대로 자기도취 하지 말아야 한다. 시몬 비젠탈은 내 감정과 정신과 두뇌를 똑똑똑 두드려 깨웠다.

오랫동안 나는 분노와 몸의 통증으로 시달리며 살았다. 지

울 수 없는 통한의 이력과 육체고통을 준 자의 흔적이다. '그'
는 죄 위에 죄의 단을 쌓고 쌓았으며, 나는 그 통증과 통한이
수시로 삶을 할퀴고 물어뜯을 때마다 몸서리를 쳤다. 나는 용
서하고 싶었다. 아니 내가 배운 대로 혹은 제2의 천성대로 살
기 위하여 용서하고자 했다. 그러나 그 통한 또는 후유증은
쉬이 풀 수 없으며, 용서하지 못하는 자신이 좀스러워서 참
싫었다. 그러다가 내가 평안히 살기 위한 최선의 방법을 얻었
으니 곧 망각하는 것이었다. 눈곱만치의 가치도 없으며 오히
려 해악이 될 과거의 통한과 연루된 사람들을 망각하기로 한
것이다. 망각의 연습은 효과가 있었다.

잊은 듯이 살고 혹은 잊고 살기도 했다. 대신 현실의 시간
을 갑절로 쓰고 살기 위해 여러 가지에 열중했다. 일점일획도
고칠 수 없는 지난 아픔과 괴로움에 시간을 낭비하지 않았다.
그렇게 잊은 줄 알았다. 허나 과거를 끄집어 올리는 사건, 사
유는 생기기 마련이다. 딸의 병고가, 수십 년간 썩어 문드러
져버린 줄로 안 고통시련을 구석지에 처박힌 실꾸리인 양 끌
어냈다. 충격에 의해, 출생예정일보다 40여 일 먼저 태어나
야 했던 딸의 병고가 그 실마리였다.

새록새록 아파오고 억울하고 실제로 질병에 시달렸다. 용
서는 용서를 비는 자가 있을 때만 용서할 수 있는 거다. 그는

단한번도 "미안하다. 너에게 몹쓸 죄를 저질렀으니 용서 받고 싶다."고 사죄한 적이 없다. 딸을 조산케 한 그 사람도 단한번도 나에게 미안하다고, 용서해달라고 한 적이 없다. 아기를 생산한 산모가 미역국도 밥도 먹을 수가 없어 물과 함께 생쌀을 씹었다. 인생의 쓴맛 매운 맛을 감당하기 힘든 풋각시인 나는 '미역국에 독약을 탔을 거 같아서' 먹을 수가 없는 거였다. 지금도 눈시울이 뜨거워진다. 그 사람들 모두 어디 갔을까……. 진토 되어 얼굴도 몸도 없는데……. 그들이 뿌린 죄가 되살아나서 나와 딸을 할퀴고 있는데……. 그들은 예수 믿고 천당 갔다고요? 어찌하오, 어찌하오! 죄를 뿌린 자 앞에 용서를 빌지 않으면 어떤 죄도 용서받을 수 없다고요.

히틀러의 죄와 괴벨스의 죄는 인간이 살아있는 한 용서될 수 없다. 그들의 죄로 죽은 유대인과 그 죄의 영향으로 고통받은 수많은 인류에게 속속들이 속죄할 수 없으므로. 일본인은 정신대 여성에게뿐만 아니라 그의 가족과 국가에게 속죄해야 마땅하다. 나아가 인간의 생산자인 세계의 여성에게 속죄해야 한다.

나는 나 하나가 아니다. 막내딸의 비통과 육체의 아픔이 애잔하여 부모님은 자주 슬퍼하셨다. 일점혈육 딸애 또한 일종의 불운을 겪는다. 이런데 용서라니……. 깊이깊이 묻어두고 잊은 척 잊힌 듯이 살았을 뿐 용서한 적이 없다는 걸 깨달았다. 진실로 나에게 속죄하고 용서를 구하지 않았는데 무슨 수로 용서할 수가 있는가. 어떤 신도 나에게 뿌린 죄를 나 대신 용서해 줄 수 없다.

시간 따라 풀꽃 따라

모든 생명체 특히 인간은 늙어간다. 아름다운 애인 또는 안타까운 연인도 늙어간다. 모두 낡아가고 늙어가고 허물어진다.

그렇다면 누구에게나 한 번은 있다는, 진실로 빛나게 아름다운 나의 시기는 언제인가? 주름살과 기억의 주름살인 망각의 골은 깊어만 가는데 그 시기를 찾을 수가 없다. 가장 절망적이고 쓸쓸한 때가 나를 덮친 것이다.

예술가란 자기 내면과 영혼을 그릴 줄 아는 사람. 결국 자기를 말할 줄 아는 사람. 그들의 내면은 천태만상이다. 나는 어디에, 어떤 모습에 속하는 걸까?

몇 년 전. 늙어가는 가을날에, 나는 슬프고 외롭고 허망했다. 아무 할 일이 없고 하기도 싫었다. 단지 평화와 안정을 얻고 싶을 뿐, 말을 하기도 싫고 듣기는 더더욱 싫었다. 진실과 먼 말, 위장되고 포장된 말이 눈에 보이고 정말 싫었다. 속사람은 드러나기 마련이고, 또 겉볼안의 지력智力이 생기는 법이다. 특히 종교 안에서 위선의 사람꼴이 보이자 더욱 싫어졌다. 그때 초록의 생명들이 나를 깨우느라 달려와 내 가슴을 똑똑 두드렸다. 어떤 이념, 부류, 당파에도 속하지 않는 나에게, 생명력과 이상이 아름다운 꽃나무를 보라고 속삭였다.

어린 딸애를 기를 적에 구입한, 40년도 더 묵은 몽당색연필과 볼펜 한 자루를 쥐고 조각난 켄트지에 초화를 그리기 시작했다. 그야말로 느닷없는 일이었다. 몇 시간이고 열중하여 한 떨기 초화를 피워내면 나는 맑아지고 섬세한 그 풀꽃송이와 이파리를 바라보며 미소를 흘렸다. 손바닥만 한 풀꽃그림 한 장이 불안감, 회의, 무상감, 허망감, 자살욕망을 잊게 해준 것이다.

어려서부터 수채화붓과 서예붓을 손에 쥐고 성장했다. '나 자신을 살 나이' 서른셋부턴 미술도구, 서예도구를 펼칠 시간과 공간이 없었다. 원근간의 여행지 추억과 각종 팸플릿과 책은 자꾸 불어났다. 할 일과 하고 싶은 일은 많아 준비해야 하는데, 가장 못 견딜 일은 육체고통이 나를 강타한 일이었다. 이 시기를 통과하며 "언제까지 허리 꼿꼿한 모습으로 살 수 있을까?" "시를 쓰다가 사십 이후가 되어 수필을 쓸 수 있을까?" 날마다 질문하며 살았다. 아니 그런 질문을 잊기 위해 잠을 줄이고 온갖 사람살이와 예술놀이를 즐겼다.

척추는 사지를 쥐어 비틀고 심폐기능은 정상인의 절반짜리 이므로, 절박한 나는 하루시간을 두 배로 살고 싶었다. 잠은 1일에 4시간으로 족했다. 불운을 극복하는 아픈 과정은 목숨과 삶을 진진하게 사랑하게 했다. 인간과 인생을 이해하는 지혜를 익힌 것이다.

남과 다르게 사유하고 남과 달리 말하고 싶었다. 성숙한 인격체가 되기 전에는 편견밖에 드러낼 게 없는 소인배가 될 터. 그게 두려워 경서고전과 각종 종교서적에 열중했다. 그러면서 '김용옥이라는 나'는 한 그루 나무처럼 느리고 단단하게 성장하기 시작했다. 나의 씨가 비로소 흙 한 줌을 만난 것이다.

예술가란 우주자연의 독법을 창의한 사람이며 천지만물을 사람의 가슴에 재식再植하는 사람이다. 또 천지만물은 모두 말할 줄을 아는데 그 말을 들으려 귀를 기울이는 사람이 예술가이다. 사람들은 대부분 제 말만 하고 제 말뜻만 강요하느라 만물의 말을 듣지 못한다. 그러나 나는 실패에 가까운 고통과 불운을 견디면서 천지만물에 귀를 기울이기 시작한 것이다. 그러니 사람들이 알량하게 아무것도 아닌 잡초로 여기는 풀꽃의 모습을 친한 친구처럼 자세히 알고 그 꽃의 말을 오래 새겨들었다. 나에게 천고千古의 명언名言 아닌 초화草花의 말이란 없다.

풀꽃의 말은 때에 따라 달랐다. 마치 E. 헤밍웨이가 소설의 한 문장을 수없이 첨삭 교정했듯이 다르게 들리는 풀꽃의 말을 수시로 다시 받아썼다. 미세한 차이지만 제대로 알아듣고 제대로 받아쓰기란 결코 쉬운 일이 아니었다. 한 생을 살동안 어찌 해 바른 날만 있겠는가. 허구한 날 해만 쨍하게 뜬다면 목이 갈하여 말라붙는다. 한바탕 힘겨운 폭풍우가 단비약비가 될 것이다. 폭풍우라는 저 큰 고난을 생명과 삶의 약비로 생각하는 것이다. 그러면서 나이가 들어갔다.

불운의 장대비 찬비에 흠씬 얻어맞고 젖어 비틀비틀 비실비실 죽을 것 같지만, 모든 식물은 생生을 목적으로 생 쪽으로 걸어간다. 폭풍우 지난 자리에는 부러진 가지와 마르다 못해 죽어버린 잎삭들이 즐비하게 구른다. 그래도 길가 보도블록과 가로수 아래 흙 한줌에는 민들레 강아지풀 땅빈대 쇠비름이 지천으로 돋아나 얼른 꽃을 피운다. 불운과 시련이 삶에 불필요한 것들을 아낌없이 미련 없이 덜어주고, 불운과 시련을 견디며 사는 법과 긍정에너지를 주는 것이다.

오랜 동안 땅빈대 여뀌 물봉선화 토끼풀의 한 마디 두 마디

명언을 새겨들으며 살아왔다. 그리고 그 애들의 초상화를 꼼
꼼히 그리면서 나는 혼자서 나를 치유했다.

　불운의 시간은 가장 슬프도록 아름다운 시간이었다. 그때
부터 가꾸기 시작한 초화는 나의 위로자고 동행이었다. 인
忍, 인仁, 인人을 가르치고 알게 한 스승이다.

노학老鶴 생각

현대인은 정성과 사랑의 음식이 아닌 영양가와 영양제를 먹는다. 질병치료약 말고도 보약이나 영양보충제를 습관적으로 먹는다. 잡동사니 정보와 상술에 건강조차 내맡긴 꼴이다.

특히 여성은 폐경 후 빠져나가는 칼슘 때문에 골밀도가 약해져서 키가 부쩍 줄고, 관절마디에선 수시로 두두둑 두둑 뼈근하고 불편한 소리가 들려온다. 출산을 치른 여성으로 중년 이후에 아프지 않은 여성은 드물다. 다만 생활의 지혜를 빌어 섭생을 잘하면 허약한 몸을 도와 양생養生할 수 있다. 스스로를 돕는 자가 현명하게 살 수 있다.

지하철에선 되도록 서서, 앉아있는 사람들을 구경한다. 머리칼 색깔이 화려하고 다양하다. 포도주색, 회색, 노란색, 분홍색, 연두색은 젊은이이지만 검거나 흑갈색, 희쭈그레한 머리통은 노년이다. 정수리가 엉성하거나 덥수룩하고 매끈하게 덮여있고, 윤기 없는 피부에 눈썹화장과 입술색이 짙은 여성은 중년 이후의 여성이다. 젊을수록 스마트 폰에 눈을 고정하거나 이어폰을 낀 채 초점 없는 눈빛을 하고 있다. 불특정 타인을 향한 관심을 끄는 것이다. 지친 듯 졸아도 피부는 탱글탱글하고 싱그럽다. 나이대로 보이는 것이다. 애들 표현에 따르면, 변장해도 젊음과 늙음이 보인다.

사람이 늙어가는 과정을 가장 가까이서 지켜본 건 어머니를 통해서였다. 어머니의 늙음의 표시가 가장 잘 드러난 건 음식을 장만할 때였다. 철철이 저장 먹을거리를 장만하는 걸 깜빡 잊고, 제철음식의 맛을 기억하지 못하셨다. 무엇보다도 음식을 만드는 속도가 느려지고 딱 그 '알맞은 맛'을 가늠하지 못하고 모든 음식이 짭짤해지곤 했다. 그 어머니의 내림일까? 가끔 "내가 늙었으므로 서툴러져 못하겠다." 싶고, 서먹서먹하거나 시들하고, 나서기 민망한 자리가 많아졌다.

늙을수록 타인을 보고 자기를 깨달으면 지혜롭지만, 남을 보고 남만 비판하면 어리석다. 특히 문자향文字香을 모르고 미록성정麋鹿性情인 노인을 조심해야 한다. 늙으면 어릴 적 두뇌와 습習만 남는다지 않는가. 어쩌다 문단에 나가보면 노년층이 즐비한데, 내가 젊을 때 존경하고 흠모하던 노년老年은 어디로 갔는지, 노년의 품위나 지성을 만나기가 어렵다.

경로敬老하지 않는 무례를 저지르는 게 아니라 경로敬老할 만하지가 않다. 늙음을 부끄러워하고 싶지 않은데 왠지 부끄러워지는 것이다.

옛적에 노년이 대접받은 이유는 '경험과 지혜, 덕망'이 있다는 견해 때문이었다. 그런데 현재 노년은, 그저 그렇게 제 밥벌이나 하면서 제 식구나 돌보는 소시민 근성으로 살아온 게 대부분이다. 개인의 안위나 돌보며 산 이기적인 사람에게서 무슨 학덕이 배어나며, 후학이 푯대로 삼을 만한 심오한 인생교훈이 묻어나겠는가. 그런데도 자화자찬하며 사는 노인이 대부분이다. 자기가 그냥 노인일 뿐임을 깨닫고 행하면 절반은 지혜로운 노인이다. 학學은 남녀노소에게 널려있고 덕망德望은 쌓기 어려운 법이니, 요즘의 젊은이가 어른을 대접하지 않는다고 개탄할 수도 없다. 노년이 덕성스럽지 못하여 손아래 성인成人에게 사표가 되지 못하니 말이다. 차라리 역사 속의 노인=석가모니, 공자, 맹자, 소크라테스, 노자의 문자향文字香 서권기書卷氣로 소통함이 백번 나은 것이다.

반세기 사이에 의학, 과학이 혁신적으로 발달하고 현대인은 무척 현명해졌다. 정신적으로 종교 차원의 언어와 역사를 사유하는 지성은 결코 종교에 매몰되거나 혼절하지 않는다. 그만큼 지와 생의학은 발달하고 자연과학은 인간과 자연환경

에 대해 규명해가고 있다. 자연만이 인간과 영영 공존 공생할
동료이고 동지인 것이다. 진정한 인생과 세계를 깨닫기 위해
선 한 노인보다 늙은 느티나무 한 그루가 낫다고 할까.

언제나 자연 앞에 선다. 아니, 내가 내 앞에 서는 것이다.
때로 상처 입고 아플지라도, 때때로 기쁘거나 슬플지라도 나
는 언제나 나의 거울이기 때문이다. 나는 곧 자연自然임을 자
각하는 것이다. 지하철이 달리는 동안 머릿속 생각도 역마다
내리고 새 생각을 맞으며 달리고 있다.

이 사회엔 양보할 줄 모르고 물러설 때를 모르는 노인이 즐
비하다. 나는 노인의 계단 어디쯤에 서 있을까?

막 늙기 시작할 때엔 아직 젊음의 욕망을 버리지 못하여 노
탐老貪의 시기에 선다. 그리고 노욕老慾, 노추老醜, 노동老童
(비로소 거듭날 수 있는 늙은 어린이), 노학老鶴, 노선老仙의
단계를 걸어간다. 나는 지금 노동 곧 늙은 아이다. 벤자민 버
튼의 시간처럼 거꾸로 흐르는 시간을 정신적으로 살아가고
있는 셈이다. 세상살이가 신기하고 새롭고 즐겁다. 세상이
준 것으로 헐벗지도 않고 배곯지도 않으며, 가지려고 애타는
것도 없고, 있는 놀잇감으로 잘 놀고 있으니 노동老童이다.
바라는 건 머지않아 노학老鶴의 경지에 이르고 싶은 것, 마지
막에 노학의 울음을 울 수 있는 것이라고 할까.

젊은이 또는 미래세대가 들을 만한 말과 쓸모 있는 지혜를 가진 노인만 되어도 좋겠다. 이순耳順때부터 새로 태어난 어린애처럼 한 발짝 두 걸음씩 배우고 익히기 위해 힘쓰는 늙은 애로 살고 있다. 문자향 속에서 소요逍遙하니 인생이 순하다. 문향견성聞香見聲을 비는 것이다.

'왕년에 팥 닷 섬 진 이야기'나 하는 늙은이는 어리석고 부끄럽다. 과거는 현재를 이해하는 밑거름일 뿐 결코 현재의 잎도 꽃도 아니다. 지금 나는, 모르는 것 천지고 고집과 실수가 흔하다. 그러나 고치고 새로 배우고 깨달으며 성장하고 있다. 서권기로 새 힘을 얻는 것이다. 내가 현대와 미래세계에 무능하고 미흡한 걸 깨달으니, 어린이처럼 하찮은 것에도 즐거워지고 슬퍼진다. 미래를 염려하지 않고 오늘에 힘을 낸다. 스스로 노동老童 곧 늙은애가 되니 하나씩 나누는 것이 즐겁고 귀한 것이 없음이 편하다. 옆에 있는 사람마다 예뻐 보이고 친구가 되니 그냥 좋다. 사람만이 제일 귀하다.

어서 철이 깊어져 노학老鶴이 되면 좋겠다. 목메게 절창을 부르고 날개 훨훨 나부끼며 천공을 가르고 싶다.

내 판도라상자의 희망

　나는 잠이 적다고 말하며 살았다. 거의 반백 년 동안 하루에 서너 시간의 잠이면 족했다. 다른 질환으로 병원에 들락거리면 의사나 약사는 잠이 적은 게 아니라 사실은 불면증이며 우울증의 전조라 단언했다. 나는 내가 밤시간을 사는 방법일 뿐이라 여겼다. 죠니워커나 시바스 리갈, 발렌타인 또는 갈리아노 한 잔을 홀짝거리며 독서하거나 비디오로 영화를 보았다. 뜨개질이나 남편의 남방셔츠나 딸애의 갖가지 옷의 재봉 바느질을 했다. 더구나 백프레스를 등에 입고 앉아서 생활할 때였다. 나는 '오래 눈을 뜨고서 살아있는 짓'을 하고 싶었다!

　눈곱만치도 살고 싶지 않을 때에도 정신의 의지로 산다며 먹지 않은 수면제를 한꺼번에 털어먹었다. 그리고 극심한 위통 두통의 괴롭 후에 병상에서 섬광 같은 빛을 보았다. 마치 먹구름죽음을 벗어난 혹은 저승무리들을 이겨낸 듯이 느껴졌다.

"이보렴! 죽음이 너를 싫어하잖아! 생과 화음을 하며 살아야 해. 빛은 어디에나, 어둠도 어디에나 공평하게 있지. 빛을 향해 서렴! 빛을 밝히렴."

"다시는 이렇게 살고 싶지 않으면, 다르게 사는 길을 걸어. 홀로 걸어, 네 뜻대로!"

"가시 돋친 선인장에 찔리며 통증과 후유증에 시달리며 사느니 그 선인장을 버리렴!"

"저 어린 불운을 보렴. 너는 그들보다 낫구나. 불평불만하지 말아라!"

인생에 대하여, 사회교육에 의해 강제주입된 선악관과 성공관에 대한 부정적 견해들을 집어던져버렸다. 가시선인장처럼. 그따위 것들은 내 인생의 스승도 동반자도 아니었다. '내 인생의 주인은 나'임을 철저히 자각했다. 그리고 나의 '당시 현재상황'을 직시했다. 그게 나인 것이라면 슬퍼할 게 아니었다. 진실로 자기를 안다는 건, 우주만물과 삶에 겸손해지는 것이다! 우주자연 품에서 펑펑 울 때에도 나는 사람들 앞에서 꼿꼿할 수 있었다. 죽음연습에게 감사했다.

그동안 잠을 줄인 잡학독서와 예술순례와 장단거리의 무수한 여행과 만남이 두려울 것도 거리낄 것도 없게 했다. 컹컹 사나운 이빨 드러내는 낯선 개보다 무서운 건, 혹시라도 '잘

난 사람'이었다. 겨우 제 그릇만큼 편견과 교만으로 자기중심
적이며 제 밥그릇이나 챙기는 사람들이 '남의 인생의 선지자'
처럼 굴었다. 그냥 그게 보였다. 오랜 기간 골방에서 배우고
배우며 실천궁행하려고 용기를 내자, 밝은 빛 아래 물상의 삶
이 환히 읽힌 셈이다. 아멘 ○○○

정말이지 기를 쓰고 수치심을 참아내며 백방으로 노력하였
다. 나의 호적을 광산 김 씨의 호적 아래 돌려놓기까지 꼬박
3년을 모진 치욕과 수치심을 견뎌야 했다. 누가 알랴! 아니,
누가 알까봐 싫고 싫었다. 때론 사람들의 눈빛이 닿은 몸뚱이
가 싫어서 살갗을 밀어댔다. 남자에게 종속되어 생활하며 딸
의 어머니로써 겪는 천만근 무게의 목칼을 쓴 감옥에서 벗어
난 것이다. 입술을 꼭 다물고 숨도 아껴 쉬며 연명했었으나,
비로소 깊은 숨이 들이쉬어졌다. 겨우 성인의 절반짜리 심폐
기관으로 졸아들어 살아온 세월 동안 살아있게 도와주신 아
버지 어머니의 은혜가 하해보다 넓고 깊다. 나무관세음○○○

나는 고독이 좋았다. 나는 딸이 어서 성장하기를 기다리
며 오직 절대고독과 외로움을 만끽했다. 독주 한 잔과 후련
한 담배 한 개비의 밤과, 때로는 날밤을 새며 독서하는 평안
과 쾌락을 사랑했다. 아버지의 애주愛酒 애연愛煙과 지성인과
의 교류와 고담활론 취미를 물려받음이 다행이었다. 아버지

가 살아계시는 동안 아버지께 선물로 오는 가장 좋은 담배와 술은 막내딸인 내 차지였다. 칠순이 넘은 지금도 나는 아버지의 목소리를 자주자주 듣는다. "막내야, 아빠다!" 이 세상에서 가장 부드럽고 따뜻한, 또 하루를 즐거이 살라는 격려음성이다. 지독한 복더위 속에 있는 내 생일 아침이면, 제일 먼저 들은 목소리다.

자질구레하게 잘난 사람들에게 별로 관심과 흥미를 갖지 않았다. 하나를 배워 열을 알 수 있는 게 배우기를 좋아하는 사람이고 인생사인데 뭘. 더 높은 것, 더 깊은 세계, 더 새로운 미지를 흠모하고 동경하고 추구하는 즐거움이 컸다. 중학시기와 대학시절에 알량한 자부심으로 읽은 논맹중대(논어 맹자 중용 대학)와 고문진보의 아름다움과 철학을 나이 들어 다시 공부하는 즐거움이 즐겁지 않은가. 그런 것에 시간 쓰고 마음 쓰고 새로이 깨닫는 즐거움이 즐거웠다.

이순이 지나면서부터 서서히 나는 나를 거부하지 않았다. 내 심장과 두뇌는 어릴 적처럼 순정純情한 나를 향해 걸었다. 자신의 결핍함과 슬픔과 괴로움을 외면하지 않고 스스로 쓰다듬고 어루만지며 살아있음이 고맙고 즐겁다. "나는 강한 사람이다."는 주술의 깃발을 삶의 주도권인 내 심장에 꽂아주었다.

반백 년을 넘도록 가장 즐거이 품고 사는 신화는 '판도라의 상자'다. 화들짝 홀라당 쏟아진 생사의 모든 희로애락을 무얼 못 견디랴. 인생엔 질곡 질병 질책 질문이 가득한 법이잖은가. 올 아버지의 명언대로 인생의 '요지가지 놀이'를 잘 즐겼다. 그런데, 아직껏 판도라의 상자엔 '희망'이 담겨 있다. 내게 있어 그 '희망'은 '잘 죽음'이다. 우주공간 어디에서 흐르는 구름으로 부모님과 상봉하게 된다면 "아가! 네 인생은 결코 실패한 적이 없다!"고 듣고 싶다. 몽실몽실 뭉게뭉게 하일부운夏日浮雲처럼 포근히 아우러지고 싶다. 어머니처럼 나는 하이얗게 몽글게 부풀어지는 하일부운을 정말 좋아한다.

성현들이 인생살이를 고해苦海 헤엄치기라 했지만 어떠냐. 그 긴 고해의 항해에 빠져죽거나 미쳐버리지 않고 잘 살아왔다. 나는 잘 죽을 거다. 요즘에도 날마다 판도라상자 속의 마지막 글귀를 읽는다.

2 부

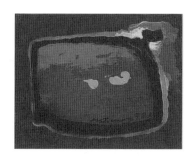

헤밍웨이를 그리네

E. 헤밍웨이Ernest Hemingway는 어느 우주공간에서 놀고 있을까? 어린 왕자처럼 지구에 릴을 드리우고 있을까? 산티아고(『노인과 바다』의 어부 주인공)처럼 뼈만 남은 청새치를 어깨에 메고 지구로 돌아오고 있을까?

앳된 소녀시절에 소설로 만나 결국 영어영문학과를 선택해 전공하게 한 헤밍웨이를 만나고 싶을 적이 종종 있다. 대학생 때 학우들이 나를 '미쓰 헤밍웨이'라고 별명지어 불러주기도 했다. 오늘도 다른 무엇을 찾다가 헤밍웨이의 묵은 책의 냄새를 맡으며 그의 손길, 마음결, 인생길을 더듬는다. 그 헤밍웨이는 아바나에서 7년간 살았다. 그를 그리워하며 영화 〈헤밍웨이 인 아바나〉를 감상했다.

영화를 보며 나는, 그의 역작이자 명작이며, 결국 1954년 노벨문학상을 수상한 소설 『노인과 바다』를 새로 읽고 있었다. 어부노인 산티아고가 태양과 윤슬에 눈이 멀 것 같은 눈부심 속에 먼 바다로 홀로 나가 84일 동안 악전고투를 한다. 어부노인이 좋아한 야구선수 디마지오와, 왜정 말기에 중앙청야구팀 코린Korin의 피처Pitcher였던 친정아버지를 겹쳐 그린다. 노인은 '84년의 인생역정'처럼, 텅 비고 가난하며 의지와 꿈만 가득한 인생과 싸우는 것이다. 마치 헤밍웨이의 노년처럼, 모든 인간의 노년처럼.

드디어 멋지고 거대한, 제 몸을 함부로 드러내지 않는 강자인 돌핀이 걸렸다. 크나큰 녀석, 대단한 녀석, 노인의 자존심을 살려줄 꿈같은 녀석이었다. 그 꿈을 제 것으로 만들기가 쉽다면 제대로 된 인생이 아니다. 수없는 잔챙이와 상어 떼가 달려들어 돌핀을 공격한다. 꿈의 완성의 적들과 사투를 하는 노인처럼, 나도 서럽게 울며 싸웠다. 노인의 어선 주위가 잠잠해지고 저녁해가 바다로 하여금 피눈물을 흥건히 흘리게 하자, 지치고 등 굽은 노인은 바다기슭에 닻을 내린다. 결국 앙상한 뼈만 남은 돌핀=청새치 대가리를 어깨에 얹고 질질 끌며 돌아오는 산티아고의 긴 그림자는 눈시울을 뜨겁게 했다. 어쩌면 긴긴 84년 인생의 결과는, 쓸모 있는 살점 한 점 없는 저 돌핀의 앙상한 뼈 같은 게 아닐까……. 헤밍웨이의 노년처럼, 모든 인간의 말년처럼……. 흑흑 울었고 지금도 눈시울이 뜨겁다. 더구나 내 삶이 노년에 이르렀음에랴…….

어부노인은 어린 소년 하나만 친구였고 야구선수 디마지오를 자랑스러워했다. 그리고는 진정 혼자 있고 싶어 광막한 바다로 나갔다. 바다에서 낚을 것이 환히 보인 적이 한 번이라도 있을 것인가? 나는 헤밍웨이를 아니 산티아고 노인의 인생을 숭배한 셈인지도 모른다. "친구는 넘치느니보다 부족한 것이 낫다."지 않은가. 요지 가지 인생의 친구가 불필요하단 걸 뼈저리게 느껴간다. 마음이 가난한 자가 인간적이기 쉽다. 나는 파랑波浪의 파란 바다 대신 나무의 바다인 초록 숲으로 들어가곤 했다.

헤밍웨이는 스페인내전과 세계2차대전쟁에 전쟁기자로 참전했다. 정권과 권력을 잡는 가장 저속한 방법이 전쟁임을 목격했다. 군사독재정부, 미국의 역사, 세계정치권력을 보면 공감할 수밖에 없다. 그리고 그는 문학천재이지만 진실로 정직한 노력가고 문장가였다. 소설 속 한 문장을 위해 읽고 또 읽으며 200번도 더 수정했다고 한다.

나는 그의 작법태도로 시와 수필을 쓰려고 한다. 첫 문장을 진실하게 시작하고, 한 문장도 여러 차례 보며 수정한다. 그리고 어떤 종교적 신을 정해놓고 살진 않지만 늘 기도한다. 글의 결과는 엉뚱하고 거짓될지도 모르므로. 특히 인간관계에서 어떤 인간에 대한 신뢰를 잃었을 때의 분노가 튕겨져 나

올 수도 있으니까. 소설에선 토할 수도 있지만 말이다.

사회는 아무리 작은 모임에도 권력자가 생긴다. 문제는 권력자에게 맞서 싸워 이길 사람은 없다. 권력은 늘 승자를 말하니까. 그런 권력자에게 항상 동조하는 자가 가장 어리석고 볼썽사납고 빈궁한 사람이다. 그런 사람에겐 절대로 인간적 우애가 없으며 누구와도 파경을 만든다. 그러므로 헤밍웨이는 친구가 많은 것을 우려했다. 그런가 하면 오직 홀로 된 사람은 여간해서 삶답게 살 기회가 없어지기 쉽다는 것도 알았다.

헤밍웨이가 가장 사랑했다는 셋째부인 마리아 헤밍웨이도, 그의 고독과 사랑의 덧없음을 이해하지 못했다. 특히 남녀의 사랑은 쓸쓸하고 외로우며 아픈 것인 걸! 그는 유명인이고 천재이며 인생을 어찌 살아갈 것인가를 곰곰이 생각하고 환히 알았다. 일부의 권력욕망이 저지른 전쟁에서 억울하고 비참하게 덧없이 죽어간 젊은 주검들을 숱하게 지켜본 그가 무슨 수로, 여자와 자녀들과 매양 희희낙락하며 살 수 있었겠는가. 보이지 않으나 약육강식이 끊임없이 일어나는 잔잔하고 푸른 바다는, 뼛속까지 고독한 그가 진실로 살고 싶은 생生놀이터였을지도 모른다.

아니, 그의 고독은 더 이상 글을 쓸 수 없는 것이지 않았을

까……. 인간적인 격정 격랑의 시대는 가고, 현대인의 감성
과 이성의 변화는 그로서는 속수무책束手無策이고……. 그는
살아있을 가치와 신념과 능력을 잃은 게 아니었을까……. 아
마, 나도, 그 때를 인지한다면 자살할지…….

　헤밍웨이여, 천천히 떠나가시라. 내가 낚싯줄을 천천히 풀
어 마지막 낚싯줄을 큰고기에게 맡길 때에……. 헤밍웨이는,
독자가 한번쯤 잡아야 할 대양大洋세계의 대어大魚다.

　헤밍웨이와 멀어져버린 청춘을 다시 만나고 싶었다. 영화
『헤밍웨이 인 아바나』는, 다시는 돌이킬 수 없는, 잃어버린
청춘의 이상을 그리워하는 순정으로 보았다.

음악은 최고의 씻김굿

최초의 인류라고 하는 오스트랄로피데쿠스 아파렌시스(=루시)는 두상이 작고 치아는 상당히 크다. 두 발로 거닐었던 특징은 확실하다. 걸으면서 얼굴 곧 머리가 높아지자 멀리 보고 널리 보고 많이 보고 자세히 보게 되면서 아는 것이 생기고 많아지자, 점점 두뇌가 성장하기 시작했다. 두뇌발달과 앞발=손의 자유가 당연히 도구를 사용하게 하고 그 결과 만물의 영장이 되었다. 이게 바로 다윈의 진화설의 기초다. 오늘날 분자생물학의 발달은, 인간과 가장 가까운 동물은 침팬지라고 설명하고 있다.

어쨌거나 인간의 두뇌용량은 지知와 손을 사용하는 힘의 발달로 자꾸 커졌으며, 그럴수록 인간의 생활방식은 더욱 발달해왔다. 그렇게 진화하고 발달해 온 인간두뇌의 능력으로 이룬, 인류사적으로 최고최상의 발명은 음악일 것이다. 예술의 근본을 시학詩學으로 삼기도 하지만 언어 이전에 소리가 먼저 심장과 두뇌를 성장시켰을 것이다.

오늘날. 지구상에 존재되고 인간의 귀와 심장을 건드려주는 음악은 3억 곡曲이 넘는다고 집계되었다. 그야말로 끝도 시작도 보이지 않는 음악의 망망대해다. 매일 듣는 소위 클래식음악에 팝뮤직인 로큰롤, 재즈, 소울, 펑크, 브레이크 음악은 나의 청소년시절부터 중년에 이르도록 광범위하게 변화해왔다. 세계의 동요와 민요는 만국공통어처럼 우리의 두뇌에서 저절로 울려나온다. 신기할 정도다.

이렇게 각종 음악의 선율과 그 보급기술은 혁명적으로 발달하고 변화했다. 20세기 후반부터는 시쳇말로 눈이 핑핑 돌게 다양하고, 머리가 기억하는 게 신기할 정도로 빠르게 지나갔다. 그 덕분에 우리나라의 전통음악이나 그 뿌리에 대해선 점점 어두워진 채, 세계의 바람과 새로운 음률이 우리를 시원하게 했다. 음악의 혼에 있어서도 지구촌의 세계인이 되어간 셈이다.

그런 음악환경 속에서 성장한 세대는 이미 세계인이다. 언어가 통하지 않아도 음악은 그 멜로디와 리듬만으로도 만국공통의 혼이 될 수 있는 것이다. 오늘날 한국의 청소년가수단 '방탄=BTS'에 세계의 청소년이 열광하는 것처럼 말이다. 제발 문학도 음악처럼 그래야 하지 않을까. 그러나 그 길은 까마득하고 멀기만 하다.

책도 악곡처럼 방대할 것이다. 그 자료를 나는 얼마나 읽었을까? 내가 기억하는 악곡처럼, 내가 기억하는 영화처럼 기억하는 책이 얼마나 될까? 제목만 나와도 토막토막이라도 흥얼거리는 수많은 악곡처럼 한 줄 한 마디 명구라도 기억케 하는 책이 얼마나 될까? 그 언어의 감동과 사유가 주는 영향은 더 깊이 끼쳤을지라도, 귓가에 지나가버린 바람소리처럼 지나가버리는 책들 책들 책들……

그중에서도 자기계발서, 부자되기 안내서, 직업적인 중언부언의 책, 연예인이나 인기 얻은 작가군의 스테디셀러도 탈락이다. 독서가에게 또는 독자에게 자기 인생사를 주절거리는 일기장 같은 책은 탈락이다. 헛배 부르고 가슴 한 번 탁 때리지 않는 설명서 같은 책도 질색이다. 글은 속이 잘 드러나기 때문에 작가의 지와 손의 성장수준이 얼른 들통 난다. 음악은 악곡이 주인이므로 노랫말은 쉽거나 유치해도 오히려 세계인의 공통어처럼 쓰는데 말이다.

유명한 고전古典은, 재미가 있건 없건 이해가 되건 안 되건, 청소년시절 이전에 탐독해야 한다. 그래야 인생의 푯대를 얻고 사유방법과 언어표현을 배우고, 인간 또는 자기의 정체성을 세울 줄 알게 한다. 초록색 두뇌가 활발하게 움직일 때 종교심과 지성의 바탕을 세워야 평생 손=지知의 실현도구를 제대로 쓸 수 있다. 미록성정(=어려서 배우지 못하여 함부로 행동함)의 사람이 무서운 이유다. 글을 어려서 배워야 함이다. 하물며 음악은 어떠하겠는가. 거장 피아니스트인 아르투르 루빈스타인Arthur Rubinstein이 말했다. 어려서 팝뮤직을 좋아하지 않고 어찌 클래식을 이해하고 애호할 수 있겠는가고. 음악은 언어보다 먼저고 언어예술보다 고차원적인 예술이다. 음악은 더 어려서부터 들어야 하니, 부모의 지성이 정말 필요하다.

어쨌거나 스스로 살기 바쁜, 살아보기에 바쁜 나이가 될수록 가끔 보약이 필요하다. 바로 새로운 발견, 발명, 새로운 사상과 철학으로 가슴에 맑고 깊은 물이 흐르게 해야 한다. 발전한 지식으로 두뇌의 용량을 키워 글을 쓸 수 있어야 현대의 문인이고, 미래의 지성과도 소통하는 살아있는 문학이 될 수 있다. 그러한 책들이 새로운 영감을 주는 것이다.

음악이나 문학은 예술의 근본이고 기본이다. 문학의 도구이며 두뇌의 뿌리인 언어 없이 음악을 제대로 이해할 수는 없다. 그런가 하면 음악은 말로 표현하기 어려운 심정의 감흥을 아무 말 없이 느끼게 한다. 최고의 종합예술이라는 영화에서 음악은 엄청나게 효과적이다. 백 마디 언어보다 한 가락의 악곡이 즉각적으로 감정을 휘젓고 적셔 놓는다. 그러하니 음악성 없는 문자의 나열은 읽기에 지루하기 짝이 없다. 흔히 문학서보다 과학서나 철학서가 읽기에 딱딱하다거나 지루하다고 느끼는 까닭이기도 하다. 이성만 꽉 차고 감성이 거의 없기 때문이다. 음악을 언어로 이해하듯이, 문학은 음악적일 수 있어야 한다.

시 한 편, 수필 한 꼭지 쓸 때마다 어떻게 하면 한 소절 음악처럼 읽힐 수 있을까, 언어의 운율을 생각한다. 아다지오, 모데라토, 스타카토, 라르고, 라멘타빌레. 읽어보면서 글의 호흡을 생각한다. 글을 쓰면서 늘, 음악이 최고의 예술이라고 느끼고 생각했다. 책의 고전보다 음악의 클래식=고전에 감동하여 가슴에서 울고 가슴으로 운다. 음악은 나에게 희로애락의 치유제요 나의 지와 사랑의 정화제다.

지금도 표트르 차이콥스키의 파데시크Pathetique(비창=심포니 No.6)로 나를 씻고 있다. 음악은 나의 씻김굿이다.

그 입, 다물라

가끔 자신에게 말한다. 가장 큰 스승은 자기 앞에서 말하고 행동하는 그 사람이고, 그보다 더 큰 스승은 그것을 바라보고 생각하는 자기 내면이라고.

작가가 글을 쓰면 모두 작품일까? 아니 작품다운 작품일까?

20세기 후반. 하다하다 지루하고 진전된 창의가 없어서인지 미술계에서 이상하고 대담한 실험이 창안 표출된 적이 있다. 곰브리치Ernst Gombrich에 의해 실험미술로 해설되었다.

1966년 경, 한국에서 최초의 실험미술전은 서울 소공동 미술관에서 개최되었다. 남대문이라고 불렀던 숭례문 앞에서 만난 젊은 조각가와 함께 달려갔다. 건축시장에 출시된 지 얼마 안 된 양변기에 빨간 고무장갑 몇 컬레의 손가락을 모아 꽃처럼 꽂아둔 작품을 보았다. 어릴 적 푸세식 변소의 귀신이야기에 나오는 "빨강 손 줄까? 파랑 손 줄까?"가 떠올라서 어깨 으쓱하며 웃었다. 반세기 전 갓 스무 살 대학생일 때 관람한 실험미술 전람회였다.

그 후 어느 날, 서울 한강漢江 모래톱에선 모래무덤을 몇 무더기 만들며, 너울을 펄럭펄럭 흔들어대며 무가巫歌같은 소리에 맞춰 배운 적 없는 고전무용 같은 몸짓을 하는 유학파 여성화가의 전시회가 있었다. 소위 실험미술의 일종인 퍼포먼스. 미술관중은 끼리끼리인지 얼마 되지 않았다. 아무리 생각해도 아리송하고 가관이었다.

실험미술의 기억은 또 있다. 유명한 나이트카페의 실내장식이다. 찰그랑 박살낸 거울조각을 크건 작건 날카로이 산산조각이 난 쪽거울조각을 한쪽 벽에 옴스라니 붙였다. 그 천장에선 막 출시된 전등제품인 은색 미러볼이 빙글빙글 돌았다. 거울장식이긴 해도, 거울에 비친 사람이 그인지 나인지 그 누구인지는 결코 알아볼 수 없었다. 짐승의 눈깔, 조각난 코, 몇 가닥으로 갈라진 입술……. 한번은 호기심에 가봤을지 몰라도, 그런 곳에선 어떤 애인 친구끼리도 다정할 수가 없었다. 오히려 수선스럽다 못해 괴기스러웠으므로. 그 실험장식 미술도 오래가지 않았다. 알지 못하고 이해되지 못하는 예술은 예술이 아닌 것이다.

이 모두 실험미술일 뿐이니까, 그야말로 과학실험처럼 실험에 지나지 않았던 셈이다. 문학에서도 한때 남의 나라의 이미 부정되고 해체된 문학이론을 빌려다 비틀어보기를 새롭게 보기라고 시를 억수로 비틀어댄 적이 있다. 말장난은 되었을지라도 진정 예술의 뿌리인 시라고 인정할 수가 없다. 또 진정 미술이라고 예술이라고 봐주지도 믿어주지도 않았다. 그야말로 한 번의 퍼포먼스에 불과하다. 그 방법을 반세기 후인 21세기 물병자리시대의 문학에서 사용한다면 어쩌겠는가?

과거 혹은 옛날엔 집안어른의 말씀과 행위를 믿고 따르듯이 작가를 믿고 그 작품을 믿었다. 그러나 현대인은, 예컨대 루게릭병이나 틱장애를 앓기도 하고, 숱하게 정신장애와 인격의 장애를 겪고 있다. 마치 그런 점이 예술가의 매력인 양 과장하기도 한다. 예술은 누가 누굴 가르치는 단계를 벗어나 있다. 독창성 없으면 죽은 예술이다. 옛적에 초보 재주꾼이 생계를 위해 영화간판을 그리던 일과 같은 게 아니잖은가. 젊어 한때엔 이응로 화백도 하반영 화백도 영화간판을 그리는 '뺑끼쟁이'였다. 그러나 그들은 결국, 세계적인 화가다. 무릇 예술이란 창의創意 창작創作이며 오직 탐구의 작품임을 실현한 때문이다.

문학에 있어서도 이전 작가의 사라진 기법, 이론, 표현을 표절하여 수없이 쏟아낸 시를 읽다보면 돌려치나 메치나 그게 그거다. 어떻게, 누굴 믿고, 문학을 탐구하지? 예술가는 기본을 배우고 기초를 다지기 위해 남의 것을 모방하고 연습하고 '습작'할지라도, 자기 독창성을 탐구하여 구현하지 못하면 예술가가 못 된다. 모든 예술은 창작이고 독창이기 때문이다. W·섹스피어가 둘인가, E·헤밍웨이가 둘인가. 피카소가 둘인가 모네가 둘인가. 반영畔影 하구풍이 하나요 운보 김기창이 하나다. 병신춤 공옥진도 오직 하나요 발레리나 이사도라 던컨도 오직 하나다.

인생은 짧고 예술은 길다고도 하고, 세상은 넓고 할 일은 많다고도 했지만, 인생은 길고 버릴 것은 많다고도 할 수 있다. 인생에 문제가 생기면 그 문제와 싸워서 해결해야 한다. 장난감은 갖고 놀다가 싫증나면 버려도 되지만, 인생이란 절대로 그럴 수 없는 것이다. 거짓되고 잘못된 인생이라고 버려지는 게 아니다. 하루가 남았을지라도 거짓되면 고쳐 살아야 한다.

생각이 너무 많으면 불행해진다고 하지만, 인생이란 죽음 그 끝순간까지가 자기의 완성인 걸 부정할 수는 없다. 소크라테스나 예수나 괴테의 마지막 말을 기억하지 않는가. "악법도 법이다."는 철학자의 사유하는 말. "하나님, 하나님, 어찌

나를 버리십니까?"는 고독한 원망의 말. "더 많은 빛을!"은 살고 싶은 현실적인 말이었다. 내 어머니께서 영면하실 때, 나는 창문의 커튼을 젖히고 불빛을 환하게 했다.

인생은 제 알아서 태어날 수는 없을지라도, 성인이 되어선 스스로 선택하여 살아야 후회하지 않을 수 있다. 마음은 급하게 동당거릴지라도 나는 자주 "안단테! 안단테!" 뇌면서 내 영혼을 어루만지곤 했다. "누가 네 인생을 진정으로 도울 것인가? 아무도 없나니, 단 한 사람도 없다. 오직 서말닷되의 피를 쏟고 단장斷腸의 고통을 감수하며 나를 출생시키고 내 인생을 지켜준 어머니밖에는!" 그런 어머니는 자기보다 먼저 이승을 떠나기 마련이다. 인생이 뭐 그리 간단하거나 매우 복잡하지도 않다. 생각하기 나름이다. 나는 내 어머니처럼만 지혜로울 수 있기를 바란다.

뜻한 바대로 그렇게 살아지지 않으면 다른 방식으로 저러하게 살아가도 괜찮다. 자기 인생만 옳고 잘 살았다고 생각하고, 남의 인생에 왈가왈부, 말로써 물 뿌리고 재 뿌리는 사람이 제일 어리석다. 인생에 뭘 모르기 때문에 그리 한다.

날마다 내가 나에게 말한다. "그 입, 다물라!"

봄은 새 잎 새 꽃을 준다

고음의 청아한 이태리가곡을 듣는다. 35도를 웃도는 복더위 속에 옆으로 누워 책을 읽으며 듣는다. 참 아름답다. 젊음의 아린 감정이 흐른다. 너무 아름다운 떨림에 슬픔의 잔물결이 가슴으로 일렁여온다. 왜, 지극한 아름다움 속에는 슬픔이 배어있을까.

신의 최고 악기는 인간의 목소리! 바이올린 소리보다 섬세하고 폐부 깊숙이 찌를 만큼 예리하고 더블베이스의 저음보다 깊고 묵직하다. 아름답다 못하여 서러웁다. 음악 앞에서 내가 가끔 무릎 꿇고 손 모으고 우는 까닭이다. 나는 어느새 오래된 성당에 앉아 묵상에 젖어버린다.

우리가 살고 있는 현재는 인간이 살아온 최선의 결과가 아니라 최악의 상태일지도 모른다. 공포가 엄습한다. 그동안의 역사를 인식하고 철학으로 심지를 세우고 소위 문학으로 인간의 가치를 높일 수 있다고 생각했지만 말짱 헛일 헛짓이다. 역사가 어떻게 이어왔건 눈곱만치도 상관없고 철학을 해선 뭐하나, 코앞의 종교철학이 자기에게 유리하다 싶으면 신성도 필요 없을 만치 물질문명의 소용돌이에 엉켜 돌아가기에 여념 없다. 문학은 이상理想 한 마디가 안 되고 종교는 신성神聖 한 꼭지가 되지 않는다. 늘 회의하고 후회하면서 수필을 짓는다. 20세기를 관통하며 겪은 말을 하고 싶은 것이다.

오랜 세월, 동쪽 햇빛이 비쳐드는 벽에 세계지도를 벽지처럼 걸어놓고 살았다. 딸애는 미취학시절부터 소파의 뒷벽에 세계전도를 붙여놓고 여러 소설가, 화가, 역사유적지, 영화의 이야기를 나누며 머리와 가슴으로 돌아다녔다. 중국으로 유학을 한 것도, 그들의 깊은 백가쟁명百家爭鳴 학문과 유서 깊은 생활철학의 영향이었을 것이다. 오대양 육대주 어디로든 떠나라 했다. 나보다 딸이 그렇게 살기를 바랐다.

사실은 나는 항공로가 힘들고 뱃길이 무섭다. 아니, 아니, 역사를 알아보고 그 땅 그 사람들의 사람살이를 훑어볼수록 삶이 처절하고 값없어 슬펐다. 그 나라 풀꽃이나 내 나라 풀꽃이나, 저 나라 서민이나 내 나라 서민이나 사는 게 그저 그러해서 슬펐다. 아무데나 던져도 되는 조약돌 같은 사람 사람들. 다만 저쪽 나라 부처님이나 조상신은 우리나라 부처님이나 하나님보다 믿음이 가고, 그래서 또 눈물이 났다. 어느 나

라나 빈부와 생로병사가 가득했고 공평하신 하나님은 어디에
도 없었다. 부자의 착취와 빈자의 노동으로 이룩한 성전과 관
광지만 그득했다. 그 성전과 돌탑 하나로는, 배고픈 자와 괴
롭고 아픈 자의 삶을 한 뼘만치도 천국으로 바꿔주지 못했다.
어디를 가나 오직 보통사람들이 끼리끼리 사람다이 살아간다
는 확신이 갔다.

　나이 들수록 벽걸이 세계지도에 동그라미 표식은 늘어갔
다. 서너 번 다녀온 곳도 있고 중국에는 일곱 번쯤 갔다. 내
발을 디딘 곳마다 동그라미가 그려진 나라들. 오랜 세월 시
간과 돈을 투자하여 20여 군데 돌아다녔건만, 기막히게도 내
얼굴에 저승점 몇 개 만큼밖에 안 되었다. 하하항. 그 길로
세계지도를 걷어냈다.

　글은 체험의 기억을 불러내어 미화하고 각색하고 때론 도
색을 한다. 기억은 시간에 따라 전령사의 감정에 따라 변하기
도 한다. 그뿐이랴. 글쟁이의 헛된 욕망에 따라 변색시키기
도 한다. 글을 멋스럽게 꾸며 써서 아름다운 문학이라고 착각
하는 것은 미숙한 일이건만 말이다.

　수필 쓰기 또는 시 짓기가 막막할 때에는 마냥 읽는다. 자
꾸 이런저런 영화를 보거나 전시관을 전전한다. 읽는 순간에
이미 잊어버리고, 감상한 뒤에 한 꼭지의 명언이 남지 않아도

괜찮다. 가슴에는 파랑색이 물들거나 빨강색이 불타기도 하고 하얗게 비워지기도 한다. 한두 방울의 물기가 촉촉이 배어들면 그 물기가 새 생명수가 되어 생각을 발아시킨다. 묵은 것들을 버리고 작고 보잘것없으나 사유의 싹을 발아시키는 것이다. 그동안의 모든 앎과 삶이 삭아서 거름흙이 되어주는 것이다. 결코 망각을 슬퍼하지 않는다.

심한 고난이나 불운의 상처를 아물린 후에는 세계와 인간을 응시하고 투시하는 미간眉間의 제3눈이 뜨인다. 일종의 영안靈眼이다.

한동안의 시련 아픔이 인생의 혹한기였음을 깨달았다. 혹한이 지나면 봄은 머지않아 오기 마련이다. 혹한의 생놀이에서 잃기도 하고 스스로 잘라버리기도 했다. 아픈 만큼 눈이 밝아지고 삶의 지혜가 성숙한다. 이만큼 살아보니 브라가도시오 =braggadocio(남을 내리깔고 자신은 높이는 기법)하는 사람을 별로 좋아할 수가 없다. 한 가지만 남은 나무는 아름드리로 성장할 수가 없다. 그런 사람은 누구에게나 살아있으나마나 한 존재다. 얼어 죽은 나뭇가지나 마찬가지인 것이다.

봄은 새 기운 새 잎 새 꽃을 준다. 그렇게 넘어지고 일어서며 딱딱해지고 말랑해짐을 반복하며 살아왔다. 봄을 기다릴 줄을 아는 것이다. 인생은 참으로 살 만한 것이다.

편복불참蝙蝠不參의 박쥐 이야기

　늦봄의 밤, 문 열린 베란다 꽃밭에 박쥐가 날아들었다가 어쭈쭈, 실내로 들어왔다. 불빛이 환하니 갈팡질팡 벽의 그림액자에 탁, 장롱에 부딪치고 야단이다. 헤헤헤, 현대인 우리는 밤을 대낮같이 하고 살거든! 내 손바닥보다 작은 박쥐의 눈깔자리가 불빛에 반사하며 노랑빛 빨강빛을 반사한다. 별빛마냥 빛난다.

　저절로 이솝의 우화가 떠오른다. 박쥐가 봉황잔치에 들짐승이라며 가지 않고, 기린잔치에는 조류라며 가지 않았다는.

　박쥐는 쥐의 얼굴모양에 물갈퀴 같은 날개로 날아다니다 갈퀴발로 나뭇가지 같은 데에 나뭇잎처럼 거꾸로 매달려 산다. 물론 나무줄기처럼 거무튀튀하여 제 모습을 들키지 않는다. 새처럼 날 수 있는 유일한 포유류 박쥐. 거꾸로 매달려 살아도 이승에 살기 위해, 어둠 속에서 먹이를 찾아 동분서주하는 고단한 밤의 동물 박쥐를 보는 일은 정말 드물었다.

부산 태봉사의 도성 큰스님을 좇아서, 스리랑카에서 주최한 세계남방불교대회에 가서 마음을 씻고 또 씻을 때였다. 큰스님께 왼팔을 내어드리고 천천히 Royal Botanical 국립공원을 거니는데, 어디선가 다가왔다 멀어지고 커졌다가 작아지는 와글와글하는 독경소리가 들려왔다. 어느 사찰의 법회에서 스리랑카어로 된 불경을 읊는 줄 알았다. 땅에 떨어진 무우화無憂花 한 송이를 운 좋게 주워들고 독경讀經소리를 듣노라니 눈시울이 뜨거워진다. 아, 내가 무우無憂의 세계에 있구나 하고, 눈물을 눈 속으로 집어넣으려고 목을 젖혀 하늘을 향하는데, 어머나, 저 높디높은 나뭇가지마다 커다란 박쥐가 다닥다닥 매달려 송경誦經하고 있는 것이다. "다람쥐, 올무에 걸리듯 하지 마라! 하지 마라, 하지 마라, 하지 마라!" 8년 세월이 흐르건만 가끔 박쥐의 독경소리가 따라온다. 나무관세음○○○

사람의 사고는 과거의 지식에 습이 된다. 그러나 세상살이는 시시비비是是非非가 충돌하고 이해득실이 우선하는 현장이다. 어려서 읽은 이솝우화에 길들여진 나는, 박쥐에 대한 구체적이고 과학적인 지식이나 사고 없이 박쥐를 간신배나 이중인격자에 빗대곤 했다.

살아보니 사람들은 대부분 자기 이득이 있는 말을 곧잘 한다. 말은 그럴듯해서 약자와 불우한 자의 편에 서서 정의로이 행동할 것 같지만 실제 행위는 강자에 작작궁하여 좋은 게 좋은 거라며 분별을 내버린다. 꼬리치며 얻어먹는 자기네 집개 같은 행동을 한다. 끼리끼리 편먹는 게 대부분이다. "군자는 옳은 일에 나서고 소인배는 저에게 이익되는 짓만 한다."고, 남의 말을 꾸어다 말할 뿐이면서, 소인배 주제에 군자연하는 것이다. 정치판뿐만 아니라 알량한 선거판마다 그렇다.

그런데, 군자와 소인으로 편을 가르는 사람은 '인자仁者'를 모른다. 인격 인품은 고사하고 기본적인 인성이 허약하고 빈약하기 때문이다. 내 어머니는 어려서부터 두뇌와 성품에 인仁을 가르치셨다. 인자무적仁者無敵을 써서 천장 아래 걸어놓았다. 겨우 두세살짜리 손녀들은 내방객들을 맞이하면서, 가녀린 손가락으로 편액을 가리키며 "인자무적이라아."를 읊어대서 웃곤 했다.

살아볼수록 사람살이는 양분논리가 아니라 정반합의 논리로 살아야 함을 생각한다. 몰상식하고 비인격적인 사람일수록 제 의견만 옳다고 독단적으로 행동한다. 이런 사람은 대개, 범죄를 저질러선 안 되지만 자기도 모르게 교통사고를 낼 수도 있다고 변명하다 못해 자기가 저지른 건 실수일 뿐이라고 죄책감 같은 건 없다. 변명하다 못해 마치 현명한 판단인 양 말한다. 자기의 이득을 위해서 비굴하고 비겁하게 변절하는 것이다.

세월호사건은, 세계인 앞에서 국민을 수치스럽게 한 일이다. 진실로 민주국가 국민이고 시민정신을 수호하는 사람이라면 분노와 비애를 느끼고 정의로운 해결에 동참해야 했다. 그런데 사건을 어둠 속으로 침잠시키려 하는 판에, 생때같은 자식들의 시신도 수습하지 못했는데, '지겹다'고 말하는 것이다. 일베의 어처구니없는 타령을 현자의 소식인 양 주절거리면서 말이다. 남의 억장 무너지는 슬픔을 보면서, 자기는 선하고 의로워서 불행을 당하지 않은 것처럼 말하는 것이다. 소인배이다 못해 찌질하고 의젓잖다. 자기의 이득이 아니니까 남의 불의와 불행에 눈깜땡깜 하자는 것이다.

이 발전된 세상을 누가 이룩했는가? 그저 제 가족과 겨우 밥이나 먹고 사는 주제인 우리는, 타인의 덕으로 사는 존재임을 간과해선 안 된다. 전깃불을 밝히는 에너지를 만들기를 했는가, 즐겨 먹는 음식물 생산을 했는가, 남의 인생에게 현명하고 이로운 도움이 될 예술을 창작했는가? 자동차 부품 하나라도 연구하고 만들기는 고사하고 그것으로 매연이나 펑펑 내쏘며 살았지 않은가? 그리고도 거들먹거렸지 않은가?

민주주의 역사는 시시비비와 자신의 손해를 무릅쓴 사람들에 의해 발전해왔다. 그런데 지금 우리의 사회는 자기 이익만 주워 모으며 사는 소인배 투성이다. 일제하의 시련 속에서 독립운동을 하며 스러진 분들과 군사독재정부 앞에서 몸과 정신을 핍박받은 분들의 노력 노고 덕분에 지금, 우리는 천박할 정도로 개인주의적으로 편히 살아가고 있다. 그분들의 고난과 아픔에 감사하며 사는가?

박쥐는 희귀종이다. 지는 편에 서는 박쥐는, 다른 편에겐 반드시 적이 될 수밖에 없다. 그래서 땅 한 평 갖지 못한 빈자가 되어 어디든 거꾸로 매달려 살며, 아무도 적이 될 수 없는 환경에서 활동한다. 박쥐에 대한 구태의연한 편견을 바꾸어 생각하고 있다.

스코트 니어링이 생각난다. 클림트가 생각난다. 베토벤이 생각난다. 그들은 다르게 볼 줄 알아서 미래를 바꿀 수 있었던 사람들이다. 그들은 핍박받았으나 결국 후세인간에게까지 한없는 복덕福德을 베푸는 인자仁者다.

SKY캐슬 생각

　2019년 휴일이 긴 설날에 TV화면 앞에 앉아 조카들과 신소리 군소리를 나누며 관람한 드라마가 있다. 드라마 제목이 다분히 시사적인 〈SKY캐슬〉이다.

　김수현의 드라마작품은 대사臺詞와 탤런트의 연기를 감상하는 재미가 있어서 장년 무렵에 휴식할 겸 가끔 시청했지만, 그저 그런 드라마에 낭비할 시간이 없다. 나는 세계적인 각양각색 배우와 내용, 경치, 과학기술력, 스케일, 음악, 생활미술 등등의 재미를 감상하러 영화관에 간다. 세계사와 시대상, 풍광과 인종, 과학세상, 다양한 사상과 문화를 종합적으로 접하기가 쉽다. 매년 오륙십 편쯤 신작 영화를 본다. 나이들수록이 영화가 소설읽기보다 낫다.

　질질 끄는 드라마에 넋 놓을 내가 아니건만, 어느 저녁에 독서하며 켜놓은 TV에서 '염정아'의 목소리가 들려왔다. 몸매가 야무지고 어휘발음이 정확하며 얼굴의 핏줄과 근육의 표정만으로도 최고의 연기를 하는 '장르영화'의 퀸 염정아 말이다. 다양한 캐릭터를 완벽하게 표현하는 배우로 백상예술상 대상과 최우수연기상을 받은 명배우다. 나는 그의 영화 〈완벽한 타인〉〈새드 무비〉〈전우치〉〈범죄의 재구성〉〈장화홍련〉 등등, 거의 다 보았을 정도다ㅋㅎ. 나는 염정아가 나오는 장면 중심으로 드라마를 보다 말다 했다.

〈SKY캐슬〉은, 이 시대의 갑의 족속들과 미래의 갑을 제작하는 명문대학 입시코디가 벌이는 지랄놀이다. 때로 지루하고 짜증나고 바보관객이 되면서 오명가명하며 시청했다. 끝부분에 가서는 저질과 악질이 개과천선하는―실제로 그런 일은 '하늘의 별 따기'인 것을―김빠진 맥주 꼴로 마무리했다. 홀짝거린 캔맥주의 맛이 훨씬 시원했다.

비극도 아닌, 이 사회의 불건강하고 비참한 사기극을 보면서 "저런 일이 실제로 있지."라거나 "저러이 사느니 그 돈 가지고 이민 가서 널널한 맘으로 살 일이지." 하며 그 주인공들이 반드시 치러야 할 비극의 결말을 떠올렸다. 그러나 〈SKY캐슬〉은 춘향전이나 흥부전도 아니면서 권선징악도 없이 개전改悛하고 각성하는 'SKY사람들'로 끝났다. 현재 대한민국의 입법부 사법부 행정부의 고관대작이 어디를 거쳐 누구의 인권을 유린하며 졸부에 권력가가 되었으며 그 2세들은 어떤

특혜를 가졌는가 생각했다. 이런 결말은 '드라마의 비극'이
다. 민중을 오도하니까. 갑질인간에 아부하는 거니까.

작가는 현실의 'SKY캐슬인간'에게서 받을, 소리 안 나는
비난에 공포를 느꼈을까? 작가는 요즘의 시청자들이 얼마나
영악하고 고급에 혈안인 줄을 모르는 청맹과니인가? 벌써 상
류서민에게서 'SKY캐슬증후군'이 생겨났다. 갑의 무리에 들
기 위해 자녀를 그런 코디에게 맡겨보겠다는 것이다. 못된 것
은 빨리 배운다고 했지 아마.

작가는 드라마를 쓰기 위해서일지라도 철학과 역사와 사회
과학을 읽어야 한다. 심리학을 좀 읽을 것이지 원. 인간은 보
고 배운 습習대로 산다는 걸 모르는가. 인간성과 인격은 쉬이
돌변하지 않는다. 길을 잘못 달린 자동차가 유턴을 하려 해도
시간이 걸리는 법. 하, 어린이가 걷는 길도 아닌데 늙어 굳어
버린 성질性質의 유턴은 결코 쉽지 않다.

틀린 것이 어디서부터일까. 죄 많이 지은 인간이 죽음 전
에 '예수 믿고 구원 받아 천당에 간다.'는 허위진실에 현대지
식인이 속을까. 인생이란 희비극의 종합편이고, 세상은 그런
인간들의 놀이터고 각축장이다.

『로미오와 줄리엣』이 비극이 아니면 그 어린 청춘의 사흘사
랑이야기가 어찌 명작이리오. 『안나카레리나』가 그렇게 슬픈

종말이 아니면 그저 쯧쯧쯧 혀를 차는 천박한 여자이야기에 불과할 것이다.

생선회를 초고추장에 찍어 맛나게 먹을지라도, 생선찌개에 초고추장을 풀어 끓여선 찌개의 맛을 버린다. 〈SKY캐슬〉은 시청자에게 죽도 밥도 아닌 드라마, 갑에게 대충 아부한 드라마가 되었다. 우리 시대 정치판과 권력판, 재력판에게 따돌림 당한 시민들 같다. 드라마의 결말과 여운, 사유와 시민의식을 흩어버렸다. 어릴 적 아이들의 일기장이 생각난다. "나는 친구와 싸워서 후회한다. 다시는 안 그래야겠다."고 선생님께 검사받는 일기장에 쓰면, 선생님은 "그래. 착하구나!" 답하고 일기장에는 동그라미에 싸인 큰 글자 '수'를 써준다. 마치 그런 일기장을 본 것처럼 시큰둥하고 껄쩍지근하다. 거기에 어깨 으쓱거린 어머니가 한둘이랴.

인간은 비극에 정화된다. 특히 소설이나 희곡은 비극이 좋다. 역사를 거슬러가며 그리스의 비극과 섹스피어의 비극을 사랑하는 이유이다. 비극에서 인간의 진실을 보고, 비극에서 인생의 진리를 깨닫는다.

나이 들수록 탐진치의 욕망으로 살아온 결과가 무엇인가를 돌아보며 슬퍼하고 있다. 늙은 주름살과 쇠약해진 육신과 죽음 앞에 안간힘쓰는 꼴만 남아있다. 생로병사의 끝은 버려야 할 물질인 주검이다. 태어나서 제 울음으로 시작한 생生을 꼴깍 마치면 겨우 몇 사람의 짧은 울음 속에 사라질 뿐이다.

이왕 백팔번뇌에 공들여 쓰는 수필이라면, 이왕 영감을 기다려 더디게 쓰는 시詩라면, 깊은 슬픔이 느껴지는 인생사를 추수문장秋水文章으로 쓰고 싶다. 좁쌀도 기장도 못 되는 자랑질이 아니라, 먹물이 번지는 슬픔과 개밥바라기별빛 같은 눈물이 읽히기를 바라는 것이다. 〈SKY캐슬〉처럼 요란하고 인기 있으나 명작이라기엔 고개를 저어야 하는 시문詩文을 탐내서는 결코 안 된다.

말은 이리 하기 쉬운데 쓰기는 참으로 어려우니, 내가 시문을 짓는 일이 또한 비극이다.

나만이 나일 수 있다

수필문학은 지성의 산물이다. 흔히 감정의 투사라고 생각하기 때문에 수필이 삼류와 통속으로 전락하기 쉽다. 진짜 수필은 타국의 예술문화, 종교, 이념과 학문 등등 가리지 않고 섭렵하여 제 피가 된 산물이다. 인간과 인생에 대한 분별력이며, 인생의 구토이며 구원이다.

문사文士는 문사文思를 할 줄 알아야 한다. 역사 과거와 현재를 통섭하고 사유하여 미래에도 유용한 시문을 쓰는 꿈을 갖는다. 인생은 시대를 관통하여 통하는 주제이기 때문이다.

우리는 과거를 끌어다 오늘을 살아간다. 때로는 먼 내일 또는 죽음의 시간까지 데려와 현재와 미래를 예측하며 사는 것이다. 오늘의 인생은 과거와 미래의 통섭인 것이며 바로 이런 글을 써야 문사다.

오늘 내가 지혜로이, 참답게, 득도수행자처럼 산다고 생각할지라도, 3,650일쯤 훗날 어떤 날에 '오늘'을 어리석고 위선이며 무지렁이로 살았다고 후회할지도 모른다. 그러나 '언제나 현재'였던 삶의 순간들은 만다라 한 판의 한 점들임을 절감한다. 내 몸으로 맞이한 찰나의 존재물, 일순의 각인, 순간의 영감을 사랑하고 기억하기 때문이다.

70세의 나는, 70년 인생이 압축된 화석 또는 문양석紋樣石이다. 심중과 육신에 압화壓花된 무늬가 새겨져 있다. 무한대로 사라져버린 과거시간 속에 돌무늬처럼 박힌 인상印象은 문학의 잠재적 그림이다. 그것들은 거듭 되살아나 새로운 사유로 가치를 생산한다. 당시엔 황당하고 당황했던 실상과 감정을, 현재엔 다른 방식으로 응시하고 관음하여 표현할 수 있는 것이다. 한고 속에 죽은 듯이 버려두어도 과거의 기억을 끌어올려 새 꽃을 피워내는 매화처럼 인생을 깊어지게 하는 것이다.

나를 할퀴고 간 시간 속의 체험을 나의 사유로 글을 쓴다. 동네친구와 씨부렁거리는 통속을 나열하는 게 아니라, 통속적인 생활 속에서 삶의 이치를 고독하게 사색하고 성찰하여 그 흉금을 토로한다. 날마다의 오늘이, 생사고락이 공존하는 시간임을 간파하기 때문이다. 오늘을 살지만 내일이라는 오늘에 죽을지도 모른다는 걸 절감하기 때문이다.

수많은 타인에게 보이는 나는, 단지 성명 김용옥이며, 제각각의 능력만큼 나를 인지할 것이다. 사람은 본디 제 그릇만큼 사람을 담을 수 있기 때문이다. 게다가 나는 날마다 새로운 태양 아래 살아가듯이 한번도 똑같은 나인 적이 없지 않은가. 나는 타인을 과거에 내가 알던 그 사람으로 단정하고 판단하지 않는다. 만나는 날의 그 사람을 새롭게 인식하는 것이다.

어느 순간 나는 이 세상에 흔적 없는 뜨내기 과객이고, 어느 순간엔 부처이다가 원숭이가 된다. 어리석은 이들 때문에 십자가에 못 박히고 있는 예수이고, 풋봄에 높은 나뭇가지에서 노는 박새이기도 한다. 그대들이 주먹 안에 쥔 연기처럼 흔적 없이 사라지는 담배연기만 한 가치의 존재다. 나는 그대들의 옷깃을 잠시 건드리고 지나가는 바람 같은 것임을 안다. 그러므로 나는 그대들 누구에게도 집착하거나 착각하지 않는다.

언제나 과거를 지나와 미래로 이동하는 바람 바람 바람. 바람처럼, 바람 같은 글을 쓰고 싶다. 어제의 고난을 기억하게 하는 폭풍 같은 글, 그리운 어느 날의 실바람 같은 글을 쓰고 싶다. 지난해에 농사를 지어낸 땅을 갈바래기 위해 풋봄에 부는 훈풍 같은 글을 쓰고 싶다. 때로는 느티나무의 푸른 잎새를 건드려 그 그늘에 쉬는 사람의 심신을 싱그럽게 씻어주고, 밀물로 시궁창처럼 뒤집힌 만경강의 얼굴을 잔잔히 건드리고 가는 바람 같은 글을 쓰면 좋겠다. 가끔은 초여름의 풀밭이나 초록 논밭을 쓰다듬고 달려서 초록향내 머금은 바람 같은 글을 자유자재하게 쓰고 싶다. 마음은 원이로되 아아, 능력이 모자란다.

아무려나, 꿈이라도 꾸며 오늘을 늘 새로이 살고자 한다. 새로운 감사와 새 설렘과 새삼스런 기도로 산다. 나만이 나일 수 있다. '내가 살아있는 글'을 쓰고자 한다.

나이 70세의 그

나이 70세의 그. 어느 누구도 그를 폭삭 늙었다고 하지 않는다. 일신에 큰 병고와 변고 없이 무던하게 맘을 쓰기 때문이다.

나이 70세의 그. 어느 아침에 잠깨어서도 후딱 기상하지 아니한다. 새로운 날에 대한 희망과 의욕 없이 느긋이 누워있다. 살아온 시간을 허탈하게 잊으려고 한다. 여러 감각이 무뎌지고 기억이 간곳없어진다. 고통스럽고 심각했던 어떤 일들이 허공의 먼지마냥 가볍게 여겨진다.

나이 70세의 그. 지금 무엇이 되어있나? 어떤 존재인가? 시간과 장소와 사람의 문턱을 넘나들어보지만 별 감흥이 없다. 그냥 한 목숨인 그. 인내와 견딤으로 버텼던 어머니였던 그. 철학적인 정신을 견지한 그. 허공 같은 심상의 노인이 된 그.

나이 70세의 그. 젊어 한때엔 '생의 엔조이enjoy'의 본질을 탐구하며 음악, 책, 역사철학과 미술, 여행에서 기쁨과 즐거움을 얻기도 했다. 우정과 사랑, 대인관계는 생놀이의 재미난 숨바꼭질 같았다.

그리고 그의 나이 70세. 인생연극의 장막이 서서히 걷히는 때다. 허접하고 판에 박힌 말이 자신에게 적용되리라고 추호도 생각해본 적 없는데도, 쌩쌩한 인생연극에서 퇴장할 때가 된 것이다. 열심히 동분서주하며 뭔가를 이루려고 아등바등했으나, 역시나 별로 이룬 것이 없다. 무지, 고통, 고난, 불운과 싸워 이긴 줄 알았더니, 웬걸 그저 견뎌냈을 뿐이로다. 이제서야 생로병사의 외줄에 서서 달리기했음을 절실히 깨닫는 것이다.

70세의 그가 눈물을 질금질금 흘리는 풋봄 3월이 저만치 다가오자, 그는 가치 없이 쌓인 물건과 목적 없이 묵은 짐을, 과거를 버리듯이 버리고 집을 수리했다. 케케묵은 것에서 제발 떠나는 것이다. 무엇보다도 시먹은 관계나 알랑꼴랑한 주변인물을 떠나지 않으면 안 된다. 그들은 그들에게 유리하게만 그를 만나며 잘 이해하는 척했다. 그들로부터 자유로워지기 위하여, 진정 노선老仙의 정신으로 살기 위하여 광야에 홀로 서듯이 서야 한다. 여백이 충분한 동양화같이 생활해야 한다. 죽음으로의 구체적 여정을 시작한 것이다.

상자마다 그득한 스크랩한 문자들. '사랑하는 ~~'으로 보내고 받은 수백 통의 연애편지와 그림들과 수십 권 사진첩의 사진들. 가지가지 과거의 흔적들을 조목조목 버려야 한다. 그것들은 한때 그였으나 현재의 그가 아니라 검버섯 같은 과거무늬일 뿐이다. 오직 70세의 그 자신만이 현실존재인 것이다.

나이 70세의 그에게 빚진 자들은 영영 빚진 자다. 그에게 죄 지은 자는 영영 죄 지은 자다. 그에게 죗값을 갚지도 않고 용서를 빌 줄도 모르면, 그들은 영영 어리석은 자다. 탐욕과 어리석음이 가장 더럽고 무서운 죄다. 이 사회에서 정의롭게 진솔하게 사는 게 어찌 그리 쓰디쓰고 거짓되고 못난 일 같은지. 나는 그 위선자들 때문에 헛된 눈물을 결코 흘리고 싶지 않다. 견뎌내고 이겨내기 위해 분노하고 내심으로 그들을 멸시한다. 대부분의 사람들은 흔히 진솔함보다 포장된 환상을 선호한다. 온통 숫자(경제표시, 떼거리 징표)에만 관심 갖는다. 이런 사회는 인간, 인간성이 죽은 사회다.

나이 70세의 그. 어떤 유혹으로도 시정잡배의 쾌락과 욕망에 물들거나 빠지지 않는다. 인생 70세면 남의 공감과 유혹에 동요할 이유가 없으며 조언과 충고에 고개 주억거릴 필요도 없다. 인생에 철이 든 사람이라면 오직 자기의 탐진치를 계속 버리고 비울 뿐이다.

나이 70세라니. 어느 날 노년을 얻은 것이 아니라 70년을 살아서 그 나이를 이룬 것이다. 생각할수록 인생은 참으로 슬프게 아름답다. 괴롭게 아름답다. 뼈저리게 아름답다. 인생이란 참으로 위대한 것이다. 내일 일은 고사하고 한 치 앞도 모르는 게 인생이라는데, 25,550일 70년을, 다음 날 아침에 잠에서 깨어날지 어쩔지도 모르면서 험산준령을 넘고 넘어왔으니 말이다. 험산준령보다 무시무시한 죽음을 바라보면서, 인생의 상실감과 허탈감에서 구원해 줄 죽음이기도 한 절대고독을 느낀다.

나이 70세의 그는 타인으로부터 죽고 싶을 정도로 상처를 받았건만, 그 모진 칼자국들이 이젠 조금도 아프지 않다. 아픔이 바래서인지 기억이 희미해져서인지, 70세의 그는 무던하고 편안하다. 슬픔과 아픔에 한 마디 비명조차 없다. 70세의 그가 되기까지 순진해서 인생에 봉사해 온 게 아니다. 혼탁해지는 세상 속에서 인간의 위대한 본성을 잃지 않고 인간답게 살아남으려고 애쓴 것이다.

나이 70세의 그. 비로소 철이 들어 모든 인간을 불쌍히 여기는 나이가 된 것이다. 70세의 그는 어리고 수가 좁고 순수한 노동老童이다. 망가진 세상과 사악한 사람들과 화해하는

방법은 오직 어린애 같은 사랑뿐이다. 이렇게 깨닫기만 하면
'나이 70세'는 참 좋은 나이다.

도서관 글 읽고 한 숟가락 글을 쓰는 까닭

　대부분의 현실적인 사람들처럼 시인도 짧다란 시 한 편을 얻기 위해 고심하고 좌절한다. 겨우 몇 분 만에 읽어버리거나 아무도 읽지 않는 수필 한 편을 쓰기 위해 끙끙 씨름하기 일 쑤다. 문인들은 도대체 무슨 생각으로 이런 현실을 사는 것일까?

　나는 쓸 만한 글 한 편 건지기 위하여 지식과 인식을 표현하는 사유와 언어의 새로운 별세계를 확장하려고 끊임없이 노력한다.

　그런 어느 때에 글로서 마광수를 만나고 윤재천을 만났다. 사유의 결과를 표현하는 방법과 개척하는 문학정신을 만난 것이다. 수없이 읽어댄 구태의연한 문법과 사색의 문학이 아니라 다양하게 발전 진보된 지성시대에 걸맞는 문학을 하고 싶어진 것이다. 나는 미래에 읽어도, 읽기에 알맞은 글을 쓰고 싶은 것이다.

나의 시와 수필에선 구태의연한 음풍영월이나 사랑타령, 서정타령을 쓰고 싶지 않다. 그러니 갖가지 분야의 책들과 요지가지 전람회와 공연장을 들락거리고 또한 최고의 서적이며 최후의 스승인 자연 속에 서 있을 수밖에 없었다. 천태만상의 인생의 문을 아는 만큼 열 수 있고 열어보아야 제대로 사유할 수 있지 않겠는가. 언젠가는 그림 같은 시를 쓰고 음악 같은 수필을 쓰고, 영혼과 지성의 좁은 문을 열어주는 문학을 생산하고 싶어서였다. 문학의 현자에게 공감 받고 인정받고 싶은 건 한참 뒤의 일이다.

나의 문학적 수준이 높아졌는지, 독자의 수준이 어느 선에 있는지 같은 건 알 수도 없고 크게 신경을 쓰지도 않는다. 게다가 별로 대중적인 글재간을 부릴 줄도 모르고 그렇게 영합하고자 하지 않는다. 작가는 결국 창녀나 마찬가지로 자기를 파는 직업일 뿐이라고 폄하하기 싫어서일지도 모른다.

어쨌거나 나는 개성과 창의성을 빌어 취향대로 능력만큼 글을 짓는다. 그게 그거 같은 유행가를 부르는 게 아니라, 작곡가 아무개 하면 명곡 OOO을 떠오르게 하는 것처럼 절창의 글을 창작하고 싶은 것이다. 욕심이 아니라 작가정신이며 소망일 뿐이다.

혼자 일하는 것이 글쓰기다. 남을 가르치는 사람 중에 자기 학문을 깊이 천착한 사람이 드물다 했다. 나도 남을 가르치며 밥벌이 돈벌이를 하는 동안엔 초보적이고 기초적인 글쓰기에서 벗어나질 못했다고 할까. 그 일은 아무리 핑계를 대고 변명을 해도 소용없다. 돈을 얻기 위해서 나분대는 동안에 문학적 능력이 정체되고 분실되고 퇴화하고 있음을 자각해야 했다. 더 늙어서 어휘와 사유와 시간을 잃기 전에 나는 혼자 있는 시간을 벌었다. 문학은 외로움과 고독을 먹고 성장하는 예술이기 때문이다.

사색할 시간이 길어지고 문학적 깊이와 너비를 확장할 능력이 많아지자 창의성이 신장되어갔다. 인생관과 종교관, 생사관의 뿌리를 손질하며 줄기를 꼿꼿하고 탄탄하게 세울 수 있었다. 이순을 지난 지혜와 도심道心을 느낀 것이다.

아직도 범람하는 시와 수필에 대해서 뭔가 진짜 문학적인 치아가 숭숭 빠지고 썩은 느낌을 지울 수 없다. 전범典範이나 고전古典에서처럼 인생의 철학, 문학의 미학, 사회역사의 사회성을 쓰고자 열망한다. 그러므로 나의 문학이 끊임없이 미래를 위해 변화발전하고 있는지 질문한다.

살아온 나이만큼 육신이 주름지고 늙어가듯이 문학정신에 골골이 깊은 물이 흐르고 완숙하기를 바란다. 현명한 독자 혹은 미래의 독자들이 나의 문학을 읽고 비판하길 바란다. 생각하는 도도한 깊이가 있는 글, 시간을 뛰어넘는 삶이 있는 글로 공감한다면 좋겠다.

이런 책임감 없이 어찌 글을 쓰랴. 제 잘난 맛에 너스레 일상을 풀어내는 것은, 정말이지 문학이 아니다. 인생과 문자의 뼈대 없이 조사만 널려있는 글은 이미 문학이 아니다. 나는 스스로에게 반짝, 반짝, 경고등을 켠다.

구름카페는 꿈의 정원

한여름 맑은 날 오후. 수필문단이 무한천공無限天空에 하일부운夏日浮雲처럼 부드럽고 풍성하고 아름답기를 꿈꾸어본다. 몽실몽실 뭉게뭉게 지어놓은 '구름카페'에 올라보는 것이다.

그분이 미수米壽의 다리를 건너신다. 88년 그분의 삶은 인간학이고 인생학이다. 그분의 인간인생학 속에는 동서고금의 인생과 한국의 생생한 인간이 숲을 이루고 있다. 그분은 그 숲에 새 수필나무를 식재해온 수목장이 역할에 평생을 걸었다고 할까.

다행히 나무는 언제나 정직하다. 허욕, 탐욕, 위선으로 성장하는 초목은 없다. 수필나무숲 저 높이 구름카페에서 그 숲을 내려다보며 천공을 향해 큰 숨을 내쉴 수 있다면 그분이 신선이 아니랴. 어쩌면 그분의 표상表象이요 놓을 수 없는 꿈일 것이다.

나는 일찍이 시를 써오면서, 불혹이 되어 인생이 무언지 좀 알 만해지면 비로소 수필을 쓰리라 작정했던 터다. 특히 독일과 러시아의 문학과 종교서적에 심취하고 예술애호가로 살아오면서 불혹이 되면 수필을 쓰리라 생각했다. 종교와 인문학과 여타 예술의 종합적인 사유를 풀어낸 성숙한 인생학이 수필이란 생각에서였다. 수의隨意할 만한 나이 불혹不惑은 되어야 자신의 글을 쓸 수 있을 터이다. 그 정신으로 31년 성상을 나이만큼씩 수필에 전념해왔다.

　21세기에 들어 수필이란 걸 누가 애타게 찾아 읽기나 하랴 싶었다. 아니 문학 전반에 걸쳐 끼리끼리 돌려 읽는 일회용 문자처럼 잊히는 것은 아닌지……. 그러나 그분은 기다린다, 사무엘 베케트가 고도를 기다리듯이. 얼마나 고독하고 외로운 기다림이겠는가……. 그분처럼 나도 고도를 기다리는 사람이다……. 영영 오지 않을지도 모르는 고도를 기다리고 기다리는 기다림은 살아있는 한 견지해야 할 신념이고 에너지다……. 어제, 오늘을 기다렸듯이, 그리하여 오늘을 맞이했듯이, 오늘에는 또 내일을 기다릴 것이다. 반드시 내일을 맞이하리라 믿는다. 이렇게 살아있는 한 고도를 기다리듯이 구름카페에서 바라볼 울울창창한 수필나무숲을 기다릴 것이다.

　그분의 수필에 대한 자부심과 실천을 지켜보면서, 나는 적

어도 수필문학의 품위를 생각했다. 1992년『현대수필』창간
호부터, 1994년부터『수필학』을 애독했다. 수필의 옥석을
보는 눈을 뜨고 미래지향적으로 변화하기 위해서다. 순전히
그분의 배려 덕분이었다. 그분은 지방의 일천한 시인에게 한
없는 배려와 격려를 하신 것이다.

흔히 수필=에세이의 개조開祖로 불리는, 엄청난 독서가이
자 철학자인 몽테뉴가 자기 자신을 성실 정직하고 자연스럽
게 내보인 에세이=수필이 그저 '있는 그대로' 종알거린 글이
겠는가. 몽테뉴는 47세에, 무르익은 지식과 세상 탐구와 사
유의 인생을 솔직하게 문장화했다. 박학하지 못하고 사색사
유 없이 씨부렁거린 산문이 결코 아니다. 죽기 전까지 몇 번
씩이나 자기 글을 수정한 걸 보아도 그는 절차탁마했다. 몽테
뉴는 소설, 희곡, 시와 다른 문학을 '시도'해 본 것이다. 이처
럼, 우리 옆의 그분도 끊임없이 수필의 새 모습 새 형식, 새
기술 새 기법, 새 견해 새 이상을 '시도'하는 분이다.

학구적 태도로 수필문학의 위상을 정립하고, 실질적 활용
으로 수필문학의 갈래를 형성하고, 지속적 연구로 수필문학
의 깊이를 깊게 한다. "인생은 짧고 예술은 길다."고 했으나
더하여 "예술을 하는 인간은 영원히 살 수 있다."를 염원하는
것이다. 왜 그러기를 꿈꾸어선 안 되는가!

흔히 작가의 색깔을 말하지만, 작가가 어느 한 색깔에 고정되어 있다면 그 작가는 게으르고 시대를 멈춰서 사는 사람에 불과하다. "작가는 자기 스펙트럼=가시광선을 구축하여 상황에 따라 대응하는 융통성이 필요하다. 스펙트럼을 분석하면 여러 가지로 빛을 내는 물질의 구성과 구조로 되어 있다. 수필가가 자기스펙트럼 없는 수필을 쓰는 것은 무색무취의 존재로 전락한다."(윤재천의 『퓨전수필』 중에서)

현재는 과거로부터 걸어온 것이다. 새 수필을 원하거든 과거의 명저를 읽고 알지 않으면 안 된다. 인생사 생로병사가 달라진 게 아니라 그 해석과 겉모습이 달라질 뿐이므로 과거의 바탕 없이는 현명한 현재의 사유란 있을 수 없기 때문이다. 살려면 먹는다는 사실은 변할 수 없으나, 무엇을 어떻게 먹는가는 변해왔고 변화하고 있듯이 말이다.

이런 진리를 일깨우는 그분은 수필문학의 향도嚮導다. 혼자만 걸어가는 게 아니라 뜻을 세우고 도전하는 자들에게 길을 안내하는 등대가 되어주신다. 그러면서 오직 수필의 이상과 진리에 전념하신다. 독보하는 게 아니라 심미深味한 수필의 길을 걷고자 하는 수필가를 도반삼고 걸으신다.

그분은 2001년 12월 1일에 '수필의 날'을 제정 선포하고, 2005년에 '구름카페문학상'을 제정 시상하는 첫발을 뗐다.

그분은 고정관념의 묵은 옷을 벗고 독창적인 사유와 표현을 하는 수필학자며, 수필가의 좋은 점과 우수성을 발견하여 부단히 이끌어내는 '수필프로듀서'다. 수필가들이 신선한 사유의 수필을 쓰도록 무언의 독려를 하염없이 한다.

그분은 매년 어김없이 나에게 전화를 주셔서 원고청탁을 하고, '새로이 시도'할 수 있는 수필을 주문하기도 하셨다. 황공惶恐한 마음으로 나는 부단히 새 힘을 냈다. 그분은 마치, '황금만영 불여교자일경黃金滿嬴 不如敎子一經과 일근세상무난사一勤世上無難事를 외며 끊임없이 독서 공부하게 하신 내 어머니처럼, 나에게 수필교육을 꾸준히 시켜주신 셈이다. "재주로 살면 그 인생이 무난하다. 재주를 가지려면 독서 공부해라. 그게 사람과 세상을 배우는 길이며, 사람은 사람세상에서 살아가거든." 명심하여 평생 잊지 않은 어머니의 말씀이다. 밥을 지어야 밥을 먹을 수 있듯이, 독서하며 성장했다. 수필에 있어서 그분의 가르침도 이러했다.

그분 자신이 수필 쓰기요 수필 짓기다.

예컨대 그분 자신이 독자에게 공감대를 형성케 하는 메시지였다. 이 땅의 사회인으로 작가적 소명을 갖고 분명한 수필철학을 견지하며, 음유와 은유로 걸어오셨다. 시대를 꿰뚫는 혜안과 통찰력, 열린 사고는 후학 수필가들의 자양분이 되었다. 한평생 수필의 길을 걸어오면서도 결코 마른 적 없는 시냇물 같아서, 옛물 같아도 늘상 새 물이 흐르는 시냇물이었다. 그 물길엔 수중생물과 갖가지 새들과 물가의 초목과 벌레가 어우러지고 뜬구름이 함께 흘렀다.

나는 그 시냇가를 소요 산책하는 나그네였다. 가끔 시냇물 속에 아름다이 그려진 뭉게구름=구름카페에 발 적시고 앉아 있곤 했다. 2016년 12월 1일. 제11회 구름카페문학상이 나를 들어올렸다. 나는 진짜 구름카페에 앉은 기분이었다. 사람이 노력을 다하나 그 열매를 맺는 때를 신이 이루어주신다 했는데……. 제1회에 이규태 선생(그의 칼럼집 7권은 나의 상식과 인식이 됨), 제2회에 마광수 선생(그의 글은 나에겐 최고로 매력적임)이 수상할 때부터 얼마나 연모戀慕한 구름카페인가. 나는 천둥이 울리는 것처럼 잠시잠깐 구름카페에 앉아본 것이다.

그분은 일찍이 평생반려자가 수필이라고 고백한 적이 있다. 그리곤 철학의 플라톤처럼 '먼저 깨우친 자'가 되신 것이다. 수필의 품을 위해 스스로 큰 품으로 거듭나셨다. 수필의 진주를 기르기 위해서였다. 진주조개인 그분의 정진精進과 인내와 희생의 열매인 수필을 위해 평생을 헌신하셨다. 편견, 차별 없이 수필의 좋은 싹을 발견하면 음으로 양으로 채

찍과 당근을 사용하셨다. 나의 수필은 그 혜택으로 성장해왔다 해도 과언이 아니다.

그분이 주는 자양분을 먹으며 수필초원은 새로워지고 다양해지고 건강해졌다. 자유로운 수필세계가 활개 치며 활보할 수 있도록 항상 격려하셨다. 고정된 시각 90도밖에 볼 줄 모르던 내 두 눈을, 몸을 비잉 돌려주셔서, 360도 모두 볼 수 있게 안내해주신 거다. 세상만물과 동서고금을 골고루 보는 방법과 사유하는 방법을 깨우친 것이다.

그분은 자신의 88년 세월의 축적보다 도탑고 밀도 있는 미래의 후학후배들이 무성하기를 꿈꾸는 분이다. 나는 그분의 밑거름 혹은 자양분을 먹고 마시며 수필을 연마하고 있다. 그분이 긍정해주심이 수필을 쓰는 나의 자존심이 된다. 군소리도 손짓도 드러내지 않은 손내밈과 토닥거림으로 나의 수필 걸음걸이를 또박또박 걷게 해주셨다. 진실로 수필이 인간학이요 인생학임을 절실히 깨닫는다.

수필을 쓰는 내내 곁에 서 계시는 '그분'은 운정雲亭 윤재천 선생이다.

운정 선생님! 부디부디 만수무강萬壽無疆하시옵소서!

남의 덕에

세상 때 묻은 내가 선하고 덕성 있는 자신을 회복하기 위해 무엇을 고심해야 하는가? 정신의 지주로 무엇을 선택해야 하는가?

암흑 같은 행각行脚 속에서 빛이 그리워지면 맨 먼저 할 일은, 각종 바이블을 뒤적이거나 소위 유명인을 만나는 일을 그만두는 일이다. 성현이 설파한 인생의 정석定石이나 소위 사회적 존경을 받는 사람이 빈자의 촛불이 되어주진 못하기 때문이다. 상한 생선에 파리 떼 꾀듯 남의 유명有名에 홀려 따라다니는 짓을 그만두어야 한다. 현재의 유명인이란 존재는 인격이나 덕성하곤 관계없이 일정 직업이 주는 재력이나 능력이 과대평가된 사람이 대부분이다. 경서經書 공부를 했으련만 고개 숙일 줄도 모르고 하야下野할 줄도 모른다. 오히려 오만불손하며, 낮은 자에게 자비를 실현할 줄을 모른다. 그런가 하면 무릇 책 속의 인간과 인생은 과거세상이나 가상세

상의 인생사이거나 돌비일 뿐, 현실의 동반자가 아니다. 책
속에서 배운 이론과 이상을 버리는 과정이 인생의 시련이며
개척이라지 않은가.

우리는 보통사람. 보통사람 속으로 걸어 들어가야 한다.
그들은 보잘것없는 이웃과 함께 고민하고 분노하고 웃고 울
며 서로에게 자비롭다. 그들은 이웃에게 부당하고 부정한 큰
짐을 지우지 않고 작고 부담 없는 것으로 우애하고 자비롭
다. 소위 지식인이 매달리는 허상허욕에 안달하지 않는다.
누구도 깨뜨리지 못하는 생로병사를 자연스레 짊어지고 동병
상련하며 동행한다.

내가 청장년靑壯年을 관통하는 동안 정직한 사람이 손해 보
지 않는 일은 아주 드문 사회상이었다. 정직 성실해서 손해
보는 경우가 허다하고 편법과 모의 부정을 잘 저지르는 것을
좋은 처세술이라고 평가하는 억지세상이었다. 이게 거의 다
저 유명인들이 저지른, 이 사회의 과오다.

부모는 양반가문의 뼈대와 동서양의 경서를 가르쳤다. 인
생은 정직, 근면, 성실, 덕성, 개척으로 그 보상을 쌓아가는
길이라고 나는 배웠다. 그러나 세상에선 매양 돌개바람이 불
어 곳곳을 강타하여 어지러웠다. 유신헌법에 1·21김신조사
건, 민청학련사건, 전태일분신사건 등등은 정신에 떫고 쓴맛

의 양념을 듬뿍 쳤다. 지성인끼리도 간첩 바라보듯이 소통불능이 되고, 민중은 정부가 꼭 쥐고 돌리는 반공원심력의 바깥에서 핑글핑글 돌이뱅뱅이질 쳤다. 튕겨져 나가지 않은 것일 뿐, 수많은 나 같은 우리가 제대로 자기 걸음을 걷지 못했다. 비꼬이기 시작한 이 세상의 역사는 참으로 오래 지속되었다.

미처 날뛸 것 같은 삶에게 어머니의 충고는 명약이었다.

"사람살이가 쉬운 일이 아녀. 저절로 늙간디? 때를 기다리며 입 다물고 사는 거여. 알고도 모른 척 해야 할 때가 있지. 좋은 세상을 기다리며 인내심으로 버티는 게 잘 사는 거여. 아가, 기다림서 살아 봐. 인생은 정직한 거여."

인생은 도망갈 수도 주저앉아버릴 수도 없는 일. 각기 감당해야 하는, 각자가 뭔가를 기다리는 일이었다. 나는, 언젠가 올, 나의 그날을, 기다리며, 살아왔다.

"내 목숨은 남의 덕으로 사는 거여. 아가, 너 땜에 살지 말고 네 자식 때문에 살아 봐. 남을 위해 사는 것이 지가 사는 일이여."

어머니는 '내가 살 수 있는 방법'을 가장 쉽고 절절하게 가르쳐주었고 나는 그 말의 씨를 붙잡고 살아왔다. 그 말의 씨와 생각이 함께 자랐다.

내가 숨을 잘 쉬는 건 저 풀과 나무들 덕분이고, 내가 밥을 먹는 건 저 들판에 여든여덟 번의 손길과 발걸음소리를 먹이는 농부의 덕분이다. 살림살기가 편한 것은 가전기구와 살림도구를 발명하고 제조하기 위해 노동한 사람 덕택이다. 그렇다. 나는 남의 덕으로 산다. 온통 남의 덕으로 살고 있다.

게다가 인간은 생태적으로 404가지 병을 품고 태어난다지 않은가. 고해를 자맥질하는 불안과 피로로 인해 육체가 불안정해져 균형이 깨지면 병이 드러난다. 고행길 인생길을 걸어온 시간이 길수록 지치고 기氣를 잃어 발병發病하는데, 내가 갖가지 병고에 시달려왔으면서도 아직 멀쩡히 살아있는 것도 남의 덕이다.

살아온 풍파와 진수렁을 돌아보면 어떤 막연한 힘이 나를 끌어준 것을 느낀다. 혼자의 힘으로는 그 어둠과 괴로움의 터널을 넘어지지 않고 걸으며, 타락과 부정의 숲을 뚫고서 정직한 생 쪽으로 난 좁은 길을 발견하지 못했을 것이다. 하루 한 날들을 정직하게 길을 내며 걸으며 언젠가 하산할 때를 예감하였다. 어머니의 말씀을 가슴에 심고 묵상하며 심안이 떠지고 영안이 떠졌다.

다시는 되돌아오지 않을 과거행로가 보인다. 내 욕심을 내려놓는 힘은 우애이며 타자의 은혜를 인정하는 힘은 자비다. 나보다 그 사람을 생각하는 우애와 만물이 공생하는 자비를 깨달아야 한다.

　어느 새 나를 온전히 내려놓아야 하는 유행기遊行期에 다다랐다. 모든 것을 내려놓고 한유閑遊할 때다. 참으로 많은 노력과 인내, 근면과 성실로 살았지만 어느 한 가지도 타자만물의 덕분 아닌 게 없다.

　맑은 날에는 바보이웃과 생활을 닦고 비 내리는 날에는 심기心氣를 씻어야겠다. 남의 덕德 아닌 목숨 없다는 것을 아는 게 덕성德性이다.

　해가 떠도 좋다. 비가 내려도 좋다!

3부

한 마리 사람새

춤을 추는 일은 늘 즐거웠다. 머리끝에서 발끝까지 전신이 꿈틀꿈틀 살아있는 느낌이니까. 아주 어릴 적, 아버지의 발등에 두 발을 딛고 서서 아버지의 튼튼한 다리를 붙잡고 고개를 뒤로 젖히고서, 나를 내려다보시는 아버지의 얼굴을 치어다보며 블루스를 출 때부터였다. 쪽마루의 테이블에 놓인 축음기에 판을 걸어 울리는 음악에 리듬을 타며 움직였다. 어머니와 아버지의 블루스는 언제 보아도 따뜻한 공연이고 멋지게 사는 부부의 표상 같았다. 그렇게 춤은 우리 집에선 화기애애한 놀이였다.

손위 언니 둘 다 예인기질이 많아선지 무용과 음악에 탁월했다. 언니들 덕분에 초등학생 때부터 이리방송국의 어린이 합창단으로 활동했다. 야구 피처로 전북야구협회장인 아버지는 "춤은 육체적으로 정신적으로 건강한 운동이야!"라셨다. 우리 형제들은 그리 알고, 형제끼리 지르박과 고고, 노래를 함께 즐기곤 했다.

대학시절 1960년대에 우리 형제들은 직장인에 대학생이 겹쳐서 우리끼리 서울살이를 했다. 그 시절엔 이따금 '춤바람'이 난 성인남녀의 가십기사가 나돌곤 했다. 소문발상지인 카바레와 호텔의 나이트클럽에 오라버니와 언니들을 졸라 가 보기도 했다.

우리 형제들은 아침에 눈 뜨자마자 전축에 클래식음반을 걸고 하루를 시작했다. 저녁땐 가끔 팝뮤직을 틀어놓고 지르박과 트위스트나 디스코로 어우러지기도 했다. 역시 춤은 건강하고 상쾌한 운동이고 즐거운 놀이였다. 그렇게 살아선지, 나는 어머니가 되고 중년을 지나면서도 TV나 공연장에서 가수나 무용수들이 추는 춤이나 댄스스포츠를 곧잘 따라했다. 춤은 몸만이 아니라 마음을 달뜨게 하고 열나게 했다.

세월은 누구의 몸도 그대로 내버려두지 않는다. 몸을 움직일 의욕도 시간도 줄었다. 온종일 백 프레스를 입고 사는 허리가 뻑적지근하고 깡마른 육체의 체력이 빈약해졌다. 독서와 글쓰기에 열중하면서는 몸을 움직이는 시간이 더욱 줄었다. 심폐기능의 허약은 가창과 율동의 체력을 빼앗았다.

뒷걸음치듯이 한 발 한 발 뒤로 뒤로 세월을 되짚어보니 어릴 적 가정환경은 특별하고 특이했다. 야구피처 아버지와 서예가 어머니는 예술애호가이고, 인생을 어떻게 다정하게 사는가를 보여주신 셈이다. 여름방학 때면 바닷가로 산사山寺로 데려가 주시고 영화관에도 아버지가 손잡고 들여보내 주셨다. 시인묵객들이 오셔서 고담활론하시다가 어머니와 소전, 석당, 남정, 여산 서예가가 붓을 잡고 글씨를 써서 벽 가득 너울너울 걸어놓고 한시漢詩를 읊기도 했다. 그래선지 나는, 인생은 즐거운 것인 줄 알았다. 보고 들은 대로 배운다지 않는가. 그래서 견문見聞이 중요하다.

어려서부터 원기가 부족하고 약한 체력이라고 늘 인삼과 보약으로 몸보신을 하며 살았다. 중년이 가도록 감기는 사계절 구별 없이 내 몸을 할퀴고 갔다. 독감의 간이역이라 할 정도였다. 그런 몸을 양생하는 데 춤추기는 한 몫을 했다.

사람 많은 데는 호흡이 약해서 질색이므로, 집안은 언제나 홀로 추는 춤의 장소다. 뿐만 아니라 혼자서 할 수 있는 요가, 줄넘기, 춤추기, 조깅을 즐겼다. 낮은 산을 다람쥐마냥 오르락거리기를 무척 즐긴다. 나이 들수록 운동량은 산책하기로 채우고 있다. 홀로 산책은 마음과 두뇌에 보물을 채우는 시간이다. 기도와 사색과 자연과의 대화시간이므로.

산책길에서 어김없이 새를 만난다. 산에 나를 들이노라면 새들이 영접을 나온다. 박새가 높은 가지에서 피이스 피이스

환영을 하고 직박구리가 찌이이 찌이이 어리광을 부리며 나분댄다. 그뿐이랴. 어느새 쪼로롱 쪼로롱 겨자색 방울새들이 산길에 떨어진 작은 씨들과 벌레를 쪼러 종종거린다. 나는 이내 방울새처럼 두 발을 종종거려본다. 팔각정이나 정자에 다리를 접고 쉴라치면 저 높이 산단풍나무나 산벚나무 꼭대기에 까치가 까아악 깍깍깍 짝을 지어 논다. 갑자기 조용하다 싶으면 느닷없이 어깨가 위풍당당한 매가 잽싸게 공중을 가르고 날아 내린다. 새들과 만날 때마다 나는 말을 건다. 휘파람으로 호이요오 호이요오 어린 새들의 소리를 내거나 직박구리에게는 지이잉 지이잉 어리광 부리는 발성을 한다. 새마다 날갯짓 하나도 같지 않다. 매가 직박구리에게 저처럼 날라고 하지 않는다. 딱새가 직박구리에게 저처럼 예쁘게 옷을 입고 돌아다니라고 하지 않는다. 박새가 까치에게 저처럼 곱고 높게 소프라노로 노래하라고 강요하지 않는다. 각자의 분깃대로 이 세상을 더불어 살아가면 되는 것이다.

산자락을 내려와 천변을 걷는다. 해찰하는 것이 즐겁다. 청둥오리가 새끼를 여러 마리 데불고 교육 중인가 보다. 나도 단장을 따라한다. 스르르 두 팔을 뒤로 젖히고 미끄러지는 스텝을 한다. 고개를 물속으로 첨벙 숙였다 쳐든다. 나도 그러면서 걷는다. 어라. 동중정하는 왜가리 한 마리가 지루한가

보다. 한쪽 날개를 주욱 펴더니 한쪽 다리를 들어 날개 속에 숨긴 채 외다리로 선다. 나도 따라한다. 에고, 모가지를 외로 꼬기도 하고 수면 가까이 긴 목을 늘이기도 한다. 물속 그림자는 데칼코마니다. 물속 제 그림자를 들여다보는 왜가리가 참 아름답다. 내 모습도 아름다우려나? 내 목을 길게 숙이고 땅을 바라본다. ㅋㅋㅋ 홀로 목구멍웃음을 웃는다. 청둥오리가 꽤액 꽥꽥 몇 번이나 소리를 낼 동안에도 왜가리는 늘 말이 없다. 오리는 물질이나 나는 몸짓이 성급하고 호들갑스럽다. 왜가리의 날갯짓이나 몸짓은 조용하고 의젓하고 우아하다. 이 애들의 몸짓을 따라하며 즐겁다.

전주천 냇가에 걸쳐진 다리의 교각 사이 틈바구니마다 비둘기들이 서식하고 있다. 비둘기는 게으른가? 둥지 지은 걸 보지 못했다. 비둘기들은 수시로 물가로 내리다가 비잉 호를 그리며 전깃줄에 날아 앉는다. 날갯짓이 크면 크게 돌며 멀리 난다. 나도 비둘기처럼 양 팔을 펼치고 호를 그리며 팔락팔락 흔들며 걷는다. 어깨가 뻐근하면서 시원해진다.

이런 해찰로 새들의 몸짓을 따라하며 근심을 저만치 두고 목적지로 간다. 눈물을 쏟아도 모자라는 입원 중인 무남독녀 딸애에게 가고 있다. 나는 딸애의 병과 번뇌를 괴로워하는 대신 자연물의 춤을 따라서 춤추며 슬스리스리랑 간다. 병원까지 괴로운 심정으로 찾아가는 것이 아니라 백치처럼 새의 몸 짓을 흉내내며 놀며 간다. 생生놀이를 하는 것이다.

그 시간에 나는 한 마리 사람새다.

귀신 없는 세상에서

철골과 콘크리트 감옥에 갇혀 지지 않는 태양 전등電燈과 함께 사는 현대인에게는 귀신鬼神이 필요 없다. 그렇대도 귀신이 곡할 일이 생생히 벌어지고 있는 현실 아닌가.

어떤 깊고 높은 산이나 숲으로 걸어가지 않아도 지구곳곳의 희귀한 식물과 동물과 새들을 영상으로 훑어보고 현대인은 잘 아는 척에 똑똑하게 사는 체한다. '어린 왕자'에게 물어보렴. 안다는 건 말이야, 그것과 함께 만지고 놀고 대화하며 오랜 시간을 함께했다는 것이거든. 네가 친구를 안다는 건, 그 친구와 함께 서로 바라보고 만지고 소통하고 함께 먹으며 오랜 시간 속의 기억과 추억을 공유했다는 뜻이지. 현대인은 사람과 그럴 시간이 적다. 알아야 할 게 하도 넘쳐서.

귀신을 초혼하는 일도 거의 사라지고 있다.

조상대대로 오랜 세월 내내, 칠흑 같은 어둠이 내리고 흑청색 밤하늘엔 달과 총총한 별들이 가득한 자정子正이면 조상

귀신을 불러 모셨다. 온종일 정갈히 음식을 마련하고 목욕재계한 후 제사상을 차리고 지방紙榜을 차리고 전등을 끈 후 촛불이나 등잔불을 밝혔다. 불빛이 흔들흔들 너울너울 그림자를 희미하게 지우면 꼭 조상귀신이 날아오시는 듯했지. 현대인은 제 근원이 되는 조상신조차 모실 줄 모르는데, 하물며 무슨 서양귀신을 믿는지 의심스럽다.

밤의 안식이 없으면 하다못해 식물과 곤충도 제 분수대로 명命대로 살지 못한다. 한여름의 매미가 밤을 잃어버린 아파트의 불빛에 속아 콘크리트 벽에 붙어 온밤 내내 구애의 발악을 하는 바람에, 잠을 설친 서울시민의 불평이 쏟아지기도 했다. 하물며 자기의 설 자리와 때를 잃어버리다 못해 초혼하는 자손조차 없으니 귀신이 만나러 올 리 없다. 이젠 달리 살아야 한다.

밤 같은 밤을 지내며 귀신과 대화하며 놀려면 독서하는 수밖에 없다. 독서는 자기의 인仁을 완성하게, 나아가 타인을 위한 지혜智慧를 갖추게 한다. 현대인인 나는 어느 틈에 인생에 대한 주관과 객관이 결과적으로 같다는 걸 깨달았다. 성심誠心으로 잘 산 인생이고 싶은 것이다. 그러나 사람들의 언어 행위와 일상日常은 한심하고 상습常習에 지나지 않았다.

마음공부 깨나 했다는 곳곳의 종교지도자를 만나면서, 그

억압의 충격에서 나의 평상심을 지켜야 했다. 성인聖人의 말씀이나 직업종교인보다 내가, 내 정신 내 마음자리와 환경과 이웃을 잘 이해하며 지내고 있으며, 싸워 이겨내야 할 사회적 편견을 더 잘 파악하고 있었다. 내가 만난 종교종사자들 대부분이 그들의 이익에 나와 우리의 희생을 끼워 넣었지, 진정 아파하고 괴로워하는 나와 우리의 인생을 위하지 않음을 멀뚱히 바라보았다. 내 기억이요 아픔이다. 가까이하기보다 멀어도 괜찮다.

현재의 삶은 과거가 그 뿌리며, 지금은 미래의 근원이라고 생각한다. 비로소 성직이라는 종교인에게 의지하면 동병상련하리라는 착각에서 깨어나 스스로 인생공부를 정리하기 시작한 것이다. 무수한 남의 시선을 버렸다. 후유. 내 인생은 오직 나만이 나답게 살 수 있도록 한다는 걸 절감했다.

어릴 적 우리 정원을 그리워하며 베란다꽃밭에 요지가지 야생초를 심었다. 초목은 정말로 살아있음과, 알탕갈탕 살아감과, 자기답게 사는 걸 가르쳐줬다. 몹시 괴롭고 슬플 때나 참 행복할 때마다 꽃밭의 초화들을 집중해서 읽으며 그들의 언어를 내 삶의 자양분으로 삼았다. 초목들처럼 나는 오직 나를 믿기 시작했다.

자기를 믿는 것은 신념의 메카니즘인 종교에서 비롯된다고 많은 철학자들이 분석했다. 그 종교를 언제, 어떻게, 왜 믿었으며 무엇을 믿느냐가 중요하게 영향을 끼친단다. 옳거니! 그건 일종의 경험일 뿐이고, 인생의 원뿌리가 아니라 한 쪽 뿌리일 뿐이라는 걸 깨달았다.

마치 노래방에서 여러 친구가 화면의 쿵자작 선율에 따라 탬버린과 몸을 흔들며 노래 부르는 동안에, 내 마음 속에서는 언젠가의 하이얀 뜬구름이 떠다녔다. 내 마음은 어디 있는지 아무도 보지 못한 채 대부분, 내가 노래방을 좋아하는 줄로 착각했다. 나는, 거의 다 대학출신인 고모들과 언니들 영향으로 상당한 클래식광이라 젊은 날 내내 클래식콘서트에 원근 가리지 않고 들락거렸다. 1997년 한겨울, 러시아에 가서도 모스크바필하모닉 콘서트에 음대유학생 가이드를 꼬여서 기필코 달려갔다. 또 중학생 때부터 재즈와 팝뮤직의 열렬한 팬이었던 나는 같은 경험이 거의 없는 이웃 몇 사람의 말로 표현할 수 있는 '의식의 바다'가 결코 아니었다. 그러나 조금도 외로워하지는 않았다. 깊고 너른 세계를 품고 살았으니까.

자, 내가 누구인가? 이 사회와 이 사회의 저들이 인식하는 내가, 진정, 나인가?

나는 현재의 시간 속에 있다. 나의 현재에는 수수만년의 전생과 내 과거가 촘촘히 쌓여있으며 또 매순간 미래를 끌어오고 있다. 당연히 인간은 통시적通時的이다. 그러므로 그 사람을 진정 알고자 하면 그의 과거에 경청할 줄 알아야 한다. 뿌리 없이 살아있는 식물이 없는 거와 마찬가지다. 그가 오늘 입은 옷의 모습을 보고 그 사람이라고 알지만, 그를 제대로 아는 건 단 하나도 없다.

나는 잃어버리고 잊어버린 나를 가끔 찾아 나선다. 나를 가꿔 뿌리를 깊이 내려준 조상귀신을 만나는 것이다.

참 아프게 하는 시인

전주문화재단에서 전북에 관한 시 1,150편을 모아 발간하고 서예가의 글씨로만 시심을 대리표현한 시서전詩書展을 했다. 그날, 나는 강상기 시인을 만나서 기쁘고 또 슬펐다.

그 지긋지긋한 '오송회사건(1982년, 고교교사 간첩단 사건)'은 반공을 내세워 국민을 돌이뱅뱅이에 잡도리하던 전두환 군사정권하에서 발생했다. 땀땀이, 요 비슷한 행사장에서 이따금 면식한 고로, 낯가림이 심한 나지만 강 시인에게 인사하기가 수월했다. 그들과 함께 나도 내심으로 '오송회사건'을 겪으며 반벙어리 시와 수필을 쓰며 살았었다.

강상기 시인은 이미 작고한 익산시의 두 남자를 떠올리게 했다. 한 분은 부모에게서 강건한 육체를 받은 지성적이고 철학적인 독서가로 끝내 천수를 누리지 못하고 이승을 떠나신, 한 분뿐인 오라버니다. 또 한 분은 여중고교 동기생의 오빠인 이광웅 시인이다.

오라버니! 멋진 오라버니! 부평미군부대의 헌병으로 군복무를 마친, 든든한 복학생 오라버니! 그 시대엔 지성의 상아탑이라는 대학생과 학자, 진정한 지식인, 양심이 입 다물고 살아야 했다. 그런데도 그들은 월남간첩뿐 아니라 월북간첩으로도 둔갑되는 일이 비일비재했다. 후배의 아버지 한 분과 시외숙 한 분은 월북스파이로, 바람난 아버지처럼 행동하던, 자식에게는 늘 그립고 괴로운 아버지였다. 1·21김신조의 청와대진입사건 후 온 나라에 반공범에 대한 신화와 낭설을 쏟아부어 국민을 오도하고 군사정부에 두 손 들고 환영하게 할 때, 간첩신고는 3천만~5천만 원을 보상한다며 빈자들을 부추기곤 했다. 오, 불행한 가난이여. 가난의 비인격적임이여.

철학을 버리지 않은 종교인과 젊은 국민들은 데모하며, 겁박과 반공범죄 누명에 병신이 되어가고 죽어갔다. 그 잔인무도한 고문 살상은 군사독재정권이 선량한 선남선녀에게 저지른 광기였다. 강상기 시인과 마주 앉아서 처음으로, 검게 케케묵은 이야기가 줄줄이 토해졌다. 나는 이따금 아파트의 평수를 늘이며 잘 살겠다고 아등바등하는 친구들에게 "너는 밥만 먹고 똥만 싸냐?"고 문득문득 쏘아주고 싶어도 꿀꺽꿀꺽 말을 삼키고 살았다.

한옥마을의 '종로회관'에서 물기 촉촉한 불고기를 천천히,

꼭꼭, 눈물과 함께 씹어 삼켰다. 저리 키가 훤칠하고 '잘생긴 시를 쓰는 시인'이 겨우 53kg이란다. 위암으로 위 절제수술 후 마음대로 마음껏 위를 채우지 못하고 사는 것이다. 단순한 위암이나 단순한 몸무게 이야기가 결코, 절대, 아니다.

광웅이 오빠는 강상기 시인과 같은 학교에 근무한 시인으로 소나무 아래 함께 앉아 시를 이야기했다. 쌍까풀 눈이 서늘하고 슬퍼 보이는 이광웅 시인. 광웅이 오빠의 첫시집 『대밭』을 폭폭하게 읽었다. 우리들 문학소녀는 친구의 오빠를 흠모했다. 가장 기억나는 이광웅 시인의 말은, 두 번째 시집의 제목인 『목숨을 걸고』다. 그가 목숨을 걸고 사랑한 부인 '김문자'는, 나의 후배 겸 제자였던 수필가 박소연과 함께 여러 차례 만났다. 쭈그러지고 너덜거리는 젊은 인생을 사는 우리는 동병상련이었다. 그도 아프고 나도 아팠다. 우리는 모질게 아픈 삼사십대였다. 그렇게⋯⋯. 절망 속에서도 기를 쓰고 살았다.

야속하고 무심한 시간은 흘러서 한세월이 갔다. 그리고 1992년 어느 날, 이광웅 시인의 세 번째 시집 『수선화』를 보내왔다. 그는 시인의 꽃밭에 죽어서 한 송이 수선화로 피었다. 심신이 유약한 광웅이 오빠는 오기도 객기도 부릴 줄 모른 채 뱃속에서 먼저 썩어 문드러진 것이다.

수선화 한 송이를 피우기 위해 모진 겨울날을 차디찬 땅속에서, 굳이 가꾸겠다고 물 한 바가지 내려주지 않고 털옷 한 자락 덮어주지 않아도 견디고 버티며 허망한 꿈을 꾸다가, 미처 꽃샘추위도 떠나지 않은 이른 봄날 얼른 피어나는 노란 수선화. 마치 동그스름한 오빠의 얼굴 같다. 야윈 안색 같고 바람에 간당간당 흔들리는 여린 마음 같다. 수선화 옆에 쪼그려 앉아 가만히 들여다보고 있으니 진짜 광웅이 오빠 얼굴 같다. 살아서 썩고 썩은 '문자'의 가슴과 눈물은 어디에서 떠돌고 있을까……. 수선화 낯꽃을 건드리고 가는 꽃샘바람일까…….

강상기 시인이 참 오래된 사람들을 초혼해주었다.

오라버니는 신장이 녹아서 몇 년간 투석을 하며 연명하다가, 무서리 내리던 한밤중에 피를 토하며 홀로 이승의 손잡이를 놓았다. 별것도 아닌 인생을 지독히 아프고 슬프고 괴로우면서 살아온 늙은 여성시인인 나는, 억울하고 폭폭하고 구역질나는 이 나라에서 생놀이를 한, 세 남자를 위해 바칠 게 없다. 겨우, 눈물밖에. 그들의 이름만 나지막하게 불러도, 아직도, 내 눈시울은 뜨겁게 젖어온다.

강상기 시인이여! 그대는 목숨을 늘여 살기를! 오래 살아서 진정으로 자유민주주의가 실현된 우리 나라를 보고 풀꽃 같은 시를 쓰시라! 000

가위 같은 사람

가위는 인생이다.

두 날과 손잡이를 하나로 모으면 아무것도 이루지 못하는 단지 사물이지만, 사용하기 위해 손잡이를 벌리면 X=가위표가 되었다가 목적물을 사이에 넣고 하나로 되어야 할 일을 제대로 한다. 마치 둘의 사상을 일치단결하여 행할 때 목적을 이루는 것과 같다. 손잡이는 의도意圖, 목적을 실행한다. 마치 정반합의 일을 하는 것이 가위의 속성이고 숙명인 듯하다.

가위는 유용하면서도 공포의 도구다. 가위는 파괴적인 도구이면서 동시에 창조적인 도구다. 옷감이라는 한 세계를 허물고 오려내어 의상이라는 새 세계를 만드는 빌미가 된다. 또 예술창작의 수단이 되면서 살인 또는 범죄의 도구가 되기도 한다. 가위는 인간의 필요와 연구에 의해 발명된 생활의 도구일 뿐이지만, 다양한 인간에 의해 다양성을 행사한다.

나는 어려서부터 가위를 잘 가지고 놀며 창조행위를 하며

성장했다. 종이에 그린 인형을 오리고, 자투리헝겊의 도안을
가위로 재단하여 헝겊인형과 인형옷을 만들었다. 군산 아메
리카 타운에서 흘러나온 미제잡지(Life, Playboy 등등)에
서 많은 자료와 명화그림을 오려내어 스크랩을 하면서 눈썰
미와 생활감각을 길렀다.

소녀시절 내내 오색색지와 금은박지를 가위로 오려 크리스
마스 장식품과 뫼비우스띠를 만들어 걸고, 재단 재봉질을 배
웠다. 슬립을 꿰매어 짓고 잣베개를 접어 만들었다. 어머니
가 주신 천으로 조각을 지어 아프리케를 수놓아 조각이불을
지어 큰언니의 결혼 혼수로 드렸다. 이 모든 일에 머릿속 구
성과 함께 가위질은 필수였다. 가위가 천을 파괴하지 않으면
그 다음의 유용한 생활용품이나 의상, 여타 물건은 창작되지
못한다. 한 세계를 파괴하지 않으면 다른 세계가 열리지 않는
다는『데미안』의 구절도 가위질을 하며 이해했다. 글을 쓸 때
도 마치 재단가위를 들고 오래 생각하듯, 각양각색의 자료와
메모를 오려내고 잘라내고, 구태의연함을 갈라내고 새 생각
으로 조각을 지어 꿰매는 것이다.

젊은 새댁시절 내내 빗과 가위질로 딸애와 남편의 머리를
깎았다. 가위는 반짇고리의 필수품이고 딸애의 원피스나 스
커트랑 남편의 남방셔츠는 '메이드 인 용옥'이었다. 가을이

올 때부턴 마른오징어를 축으로 사서 '오징어 오리기'를 한다. 오징어에 가위밥을 넣어 이쁘게 오리면 보기에도 흐뭇하고 씹을 때엔 부드럽고 속살맛이 달큰히 느껴져 기분이 좋아진다. 딱딱하고 질긴 오징어다리도 밤송이처럼 가위밥을 해대면 잘 씹힌다. 그 옆에서 딸애도 가위질을 하며 놀았다. 요지가지 잡지나 달력의 사진과 삽화의 모양, 큰 글자나 색깔이 들어있는 주간지와 여성잡지를 오리며 놀았다. 위험한 것을 갖고 어지르며 논다고 남편은 천둥벼락 치는 소리로 나무랐지만, 위험한 도구일수록 잘 다루어 유용하게 쓸 줄을 알아야 하지 않겠는가. 인생엔 그다지 위험하거나 어려운 건 없다. 난관질곡을 잘 다뤄야 인생의 지혜가 생기는 법이다.

한때엔 종이오리기를 취미로 살았다. 가위오리기는 집중하고 열중하기에 알맞은 놀이다. 색지를 오려서 다양하고 아름다운 문양을 무수하게 만들곤 했다. 가위질로 인해 생긴 작은 공간이 만들어내는 빛의 그림자는 환상적이었다. 또 한지공예의 문양을 수없이 오리기도 했다. 가위질을 질서 있게 잘하면 1cm폭에 10cm길이의 색종이로 50cm길이의 곱슬버들을 오릴 수 있고, 꽃보다 화려하고 틈이 넉넉한 색종이꽃을 요지가지로 만들 수 있다. 가위만으로 작은 종이쪽지를 파괴하여 상상적 환상적인 갖가지 창작품을 만들며 노는 것이다.

그것들은 모두 한 편의 시詩고 그림이고 꿈이었다.

30년 전쯤, 전북문인협회 시화전을 예술회관에서 전시할 때, 사무국장인 나는 지킴이였다. 심심하고 집중 안 되고 지루한 시간 동안, 안내책상에 앉아 각종 팸플릿 종이를 오렸다. 새도 꽃도 나무도 얼굴도 오려 벽에 붙였다. 이야말로 '전시예술'이라고 재미있어하는 관객이 많았다.

처서가 지나자 웃자라고 거칠고 밉게 자란 나뭇가지, 물푸레나무와 매화 분재를 뒤덮은 나팔꽃 넌출을 잘라주면서 내 인생에서 참 많은 것을 가위질하며 살았구나, 싶어졌다. 무엇보다도 사람을 잘라내야 할 때 가장 고통스럽고 괴로웠다. 그러나 짧은 인생의 아까운 시간을 좀먹는 관계를 때로는 서서히, 때론 단번에 잘라냈다. 가위에 베인 것처럼 피만 흘렀으랴.

결혼한 인생이란 그야말로 남녀가 두 개의 가윗날이다. 내 인생의 가윗날 한 쪽이 뚝 부러졌다. 아직도 가윗날 한 쪽만 있는 작은 가위를 서랍에 갖고 있다. 남은 가윗날이 아무리 멀쩡해도 가위질을 하지 못한다. 그까짓 것을 뒤돌아볼 나이가 아니니, 미련 없이 버려야겠다.

가위박물관에 갔다. 역사적이고 아름답고 귀해 보이는 가위가 있다. 재질이 비싸거나 기이하고 희한한 가위가 즐비했다. 천박한 직업과 노동을 연상시키는 고단한 인생의 동반가위도 많았다. 가장 좋아 뵈는 가위는 역시 일상생활에 헌신하는 가장 흔한 가위였다. 막무가내로 아낌없이 주저 없이 사용하는 보통가위가 가장 가위다워 보였다. 그렇다, 그 가위에서 인생이 보이는 것이다.

귀가하자마자 삼사십 년 전에 딸애의 원피스와 남편의 남방셔츠를 재단하기 위해 사용했던 재단가위를 바느질상자에서 꺼냈다. 수십 년 동거해온 분재수목을 잘라준 이빨 빠진 전지가위를 만져보았다. 부엌가위는 애지중지하지 않아도 편리하고 고맙다. 손길이 늘 닿는 가위다. 이런 가위 같은 친구들 얼굴이 떠올랐다.

누구에게 만나자고 전화를 할까?

로봇Robot

고등학교 1학년생도 때. 세계전후문학전집에서 처음으로 "로봇"이란 단어를 알았다. 체코어 'robota=일한다'에서 비롯하여, 흔한 남자이름 Robert를 본따서 Robot이라 했단다.

산업사회가 되면서 특히 산업현장에서 기계화 자동화가 되어가는 정도가 로봇의 발전이라고 여겼다. 디지털과 컴퓨터 시대를 맞이하면서, 아뿔싸, 로봇이 매우 빨리 발전하고 있구나, 인식했다.

주위의 지성인이 거의 인문학 종사자여선지, 로봇=인공지능에 대해선 상당히 어두웠다. 그러나 노동인력은 자동화기계 소위 단순한 인공지능기계인 로봇에 의해 서서히 밀려났다. 사람손이 필요한 일은 점점 줄어갔다. 계산은 머리속셈이나 연필계산으로 풀지 않고 계산기로 척척 틀림이 없게 푼다. 그러구러 누군가가 끊임없이 연구하고 있을 것이고, 우리는 그 로봇에 지배당하기 전에 죽을 거라며, 그야말로 인문학적으로 사색하며 자연과 손잡고 살고 있었다.

2016년 3월. 로봇 알파고와 천재기사 이세돌의 대국이 벌어졌다. 3:1로 알파고 승勝. 알파고 승은 로봇의 승리고, 이세돌의 패敗는 인간의 패배를 의미했다. 수런수런 얼떨떨했다. 로봇인공지능에게 사람의 일자리를 빼앗길 것을 예측하고 그 예측대로 될 날이 머지않다는 것이다. 그 미래세상에서 인간이 인간답게 살 수 있을까? 불안하고 걱정하기 시작하는데 무인자율자동차를 선보였다. 인간이 인간답게 사는 데에 알맞은 일인가?

프랑스인 얀 르쿤 교수는 딥러닝(심층신경망)에 몰두해서, 로봇에게 컴퓨터 비전=computer vision이라는 눈을 선물했다. 그 덕에 르쿤은 페이스북의 최고 딥러닝 구루=최고권위자가 되었다.

인공지능은 지도학습supervised learning으로 확대되고 강화학습reinforcement learning으로 바둑, 체스, 각종 게임에 활용되고 있다.

그러나 인공지능은 일반지능(인간처럼 모든 상황에 두루 사용할 수 있는 지능)이 적어서 현실세계에선 스스로 판단할 수 없다. 인간과 동물은 삶과 세계에 대한 엄청난 양의 상식과 지식과 시간의 흐름을 배운다. 그러나 인공지능은 시간이 흐르며 발생하는 상황을 예측하지 못한다.

인공지능기계 로봇이 농사짓기, 자율주행의 수송운반, 의료서비스, 보육도우미, 비서의 일 등등 아는 만큼 일할 수 있을 것이다. 그러나 기계는 결코 인간의 복합적 지능, 의지, 사유를 갖지 못한다.

나는 약간의 '안면실인증'을 갖고 있다. 화초 이름을 보는 즉시 부를 정도로 눈은 멀쩡한데 사람의 얼굴을 얼른 알아보지 못하는 것이다. 인간은 광수용체 5개로 빛을 지각하지만 애기장대풀은 11개의 광수용체를 활용한다. 식물이 더 잘 본다. 본다는 것은 인식한다는 것이다.

인공지능과 인간의 경쟁은 가능할까? 결단코 아니라고 생각한다. 인공지능의 주인은 인간이다. 로봇은 인간을 지배할 권력이 없다. 그 권력이란, 마음쓰기, 머리쓰기, 재력, 고용능력 같은 것이다. 결국은 로봇을 인간이 지배한다. 다만 인공지능의 고용자에 의해 많은 인간의 직업이 사라져갈 것이다.

인간과 로봇은 경쟁관계가 결코 아니다. 자동차가 사람보다 엄청나게 빨리 달린다고 해서 사람이 두 다리로 걷는 걸 포기하진 않는다. 못 걷는 사람은 환자거나 불구이잖은

가. 늙어 힘이 없어도 사는 힘을 유지하려면 두 다리로 걸으라 한다. 인공지능을 이용하여 의수 의족, 또는 보조기구를 더 효율적으로 개발하면 불구의 몸에 도움이 될 것이다. 인공지능. 자전거를 다루고, 비행기를 타고 창공을 날아 머나먼 나라에 여행하듯이, 그렇게 유용한 기계로 사용하는 것일 뿐이다.

지난여름(2018. 8.4.)에 안희정 전 충남도지사가 1심재판에서 무죄선고를 받았다. 미투Mee Too운동에 동참한 사람들은 "재판부를 인공지능 로봇으로 대체하라!"고 성토했다. 남성 편에나 여성 편에 서지 말고 냉정하고 적확한 재판을 바란 것이다. 재판부는 대부분 오랜 관습적 남성중심사고에 찌든 남성들이다. 그들에게 여성의 인격권과 인권보장이 제대로 정확히 입력되었다고 믿지 못하기 때문이다. AI=인공지능은 섣불리 인정을 쓰거나 반항으로 부당한 심판을 하지 않을 것이다. 성희롱, 폭력, 성추행자들이 피해갈 길을 AI는 결코 열지 않을 것이다. 비인격에는 인공지능 같은 무인격으로 대응해야 한다.

휴전선이 있는 나라

미국은 세계최강국가로 지구상의 권력을 쥐고 있다. 미국은 무오류성無誤謬性의 권좌에 서 있다. 미국의 발언이나 행동 또는 행동방식에 실수나 오류는 인정되지 않는다. 남의 나라, 남의 땅, 남의 국민에 대한 어떤 실수에도 책임지지 않는다. 이라크침공도, 9.11사건을 빌미로 한 잘못된 테러와의 전쟁도, 부시대통령의 북한정책도 내내 실패였다. 트럼프대통령의 대북정책과 대한정책은 미국이기주의에 지나지 않고, 마치 약소국가의 덜미에 개줄을 묶어 질질 끌고 있는 느낌이다. 그런 중에 기득권자 미국은 언제나 옳다.

북한은 핵탄두의 소형화, 다국화의 성공을 공언한다. ICBM탄도미사일의 개발은 최종단계다. 그동안 미국은 북한의 정치 탓, 중국의 비협조 탓만 했다. 독립국가인데 어째서 남의 나라 정치에 미국은 감 놓아라 배 놓아라 간섭을 하는가. 그것도 자기나라 이익에 맞는 일만 하면서 어찌 우방인가.

김대중대통령의 '햇볕정책'인 대화와 협상으로 이끌면 될 걸, 미국의 대통령들은 적대시정책을 주장하고 실행했다. 자본주의 경제시대에 자본의 패권을 쥐고서 툭하면 금융제재를 펴대는데도 아무도 그 잘못을 인정하지 않는다. 대한민국의 휴전선은, 대체, 누가 그어놓았기에 우리를 여태껏 볼모로 대접하는가. 아무리 생각해도 자본과 무기권력의 무오류성을 사유하지 않는 나라는 지구의 독재다. 히틀러의 이스라엘 독재보다 지긋지긋하게 66년 동안이나 시달리고 있다.

휴전선의 폭 30리는 아직도 지뢰밭이다. 자그마치 200만 개가 묻혀 있다. 반만년 한국인의 땅 우리 땅에 누가 그걸 매장했는가? 뿌린 자가 거두게 할 수는 없는가? 피해와 고통의 노동은 어찌하여 우리 몫인가? 우리는 언제쯤 통일된 우리나라에서 지뢰의 위험 없이 상하좌우 구별도 차별도 없이 마음대로 오갈 수 있을까?

영화 『Land of mine』을 관람하고 난 후 오래 착잡했다. 그리고 제2차세계대전의 전범의 책임을 철저히 진 독일국민에게 새삼스레 외경심이 일었다. 세계2차대전은 3년간에 끝났다. 하지만 전쟁의 후유증은 길고 무겁고 두렵기까지 했다. 그 죄는 독일국민의 대다수가 히틀러를 선택한 대가였다. 그런데 우리나라는 우리의 권한을 행사하지 못한 채 남들이 갈라놓고, 아직껏 남이 주장질하고 있다.

평화롭고 아름다운 백사장과 드넓은 바다와 수평선. 그러나 그곳은 공포와 분노 가득한 생지옥이었다. 1945년 5월. 독일군이 5년간 점령했다 떠난 덴마크의 땅에는 220만 개의 지뢰가 매설되었다. 오직 죽음의 공포. 아차, 실수로 지뢰폭발과 함께 파편처럼 산산이 부서져 죽어야 하는 사람들. 오직 수작업으로 지뢰뇌관을 해체하는 독일군 포로병들은 거의 십대 소년들이었다. 국가의 부름에 참전할 수밖에 없었던 어린 소년병들은 패전과 함께, 고향의 어머니품으로 귀향하는 게 아니라 포로가 되어야 했다. 2,600여 명이 지뢰작업에 투입되어 1,000여 명이 산화散花했다.

누가 소년병들에게 그 일을 시켰는가? 제네바협약에 의하면 포로학대, 아동학대, 적국보복행위지만 유야무야 지나갔다. 승전국의 비리였다.

스캘링겐 반도에 매설된 지뢰 45,000개를 제거하는 소년들은 오직 집으로 돌아가서 어머니의 음식을 먹고, 전쟁으로 부서진 고향의 건축물을 다시 짓고, 여자친구랑 즐거운 시간을 가질 꿈을 꾸는, 바로 네 아들 같고 내 아들 같은 소년들이었다. 오호 어리석은지고! 오호 잔인한지고!

"가장 나쁜 평화라도 가장 좋은 전쟁보다 낫다!"지 않은가.

심장에 심어놓고 사는 말이다. 지긋지긋한 전쟁을 치른 나라 베트남의 작가 '바오닌'의 말이다. 전쟁에서 미국이 유일하게 진 전쟁이 베트남전쟁이다. 대한민국의 청춘들도 미국의 전쟁노동자로 값싸게 팔려 죄악을 저지른 베트남전쟁. 만난 적 없는 그곳 어떤 상이용사와 아비 없는 자녀들과 지독한 시련 고난을 겪은 여성들에게 죄책감을 안고 있다. 나는 어머니이므로, 그들의 고난시련이 뼈아픈 것이다.

대한민국의 남한과 북한은 아직도 휴전 중! 전쟁을 끝내지 않은 것이다! 아니 못한 것이다! 누구 때문인가? 어찌하여 휴전 70년이 되는데도 여전히 휴전 중인가. 자연강산自然江山이 일곱 번 변하고, 일생의 세대世代가 세 번이나 변했는데도 종전을 못하는 까닭이 뭔가? 대한민국 국민은 우리나라 우리 땅에서 우리 혈족과 자유로이 살지 못하고 다문화가족을 이룰 지경까지 왔다. 누가 종전을 이룰 것인가? 휴전선을 기억조차 없이 사는 국민이 늘어나지 싶다.

그나저나 휴전선에 묻혀 있는 저 200만 개의 지뢰는 누가 치워줄까?

미녀의 책략과 남자의 착각

남자는 강하다고 흔히 말한다. 그러나 미인에 빠져 성욕에 빠지면 나락에 빠진다. 아하, 그러나 사업이나 전쟁에서, 정치나 권력에서 미인계는 여전히 유효하다. 남자는 시각적인 존재이기 때문에 미모에 약하다는 것이다. 이것이 남자의 비극이다.

기억해야 한다, 잠시의 환락에 환호할지라도 영영한 환락과 환호란 없는 법이라는 것을. 그럴 수만 있다면, 어떤 예술도 종교도 필요치 않을 것이다. 사회의 70~80%의 권좌를 차지한 남자의 파멸은 여자로부터 오기 쉽단다.

서양예술사를 뒤적거리다 끔찍하고도 흐뭇한 그림들을 오래 바라보곤 한다. 예전에는 그냥 유명한 아무개의 그림이었지만, 나이가 들고 인생을 보고 사색하는 눈이 생기니 역사와 사상과 사회적 관념까지 환히 보인다. 늙은이의 지혜가 눈뜨는 것이다.

가장 종교적인 사랑을 부르짖는 구약성서를 보자. 아시리아의 장군 홀로페르네스가 이스라엘의 베틀리아를 점령하여 인권유린을 자행할 때, 아름다운 미망인 유디트가 미인계 책략으로 홀로페르네스의 목을 베어버린다. 클림트의 화려한 황금색 그림 〈유디트〉로 더욱 많이 알려진, 여자라면 한번쯤 그 그림을 황홀하게 감상하고 싶지 않으랴.

살로메! 살로메는 헤롯왕의 의붓딸로 신비한 미인이다. 그 살로메가 매혹적인 춤을 추자 헤롯왕조차 넋을 빼앗기고 만다. 그렇게 아름다운 여자는 뭐든 가질 권력이 생기는 것이다! 살로메는 예수의 제자 '세례 요한'을 사랑하지만 요한은 살로메의 사랑을 당연히 거부했다. 찬란한 춤으로 헤롯왕을 유혹한 살로메는 넋을 잃은 헤롯왕에게 세례 요한의 목을 요구한다. 살로메의 요구를 어찌 거절할 수가 있으랴. 은쟁반에 담긴, 피가 뚝 뚝 흐르는 요한의 얼굴을, 보석이 찬란한 손으로 어루만지며 살로메는 토한다. "그대만을 사랑해." 라고 욕정에 넘쳐서 말이다. 살로메는 최초로 열광 받은 팜므파탈이다. 내가 대학2학년생도일 때 교재로 쓴 오스카 와일드의 희곡 『살로메』의 명장면이었다. 살로메는 여자가 보아도 질투가 치밀 정도로 복숭아빛 미모와 농염한 육체미를 갖춘 여자 중의 여자였다.

흔히 말한다. 여자가 가진 것 중에서 지성미나 부유한 부모를 가진 것은, 미모가 없으면 별로 질투할 만하지 않다고. 여자는 미모에 대한 욕망이 가장 크다는 것이다. 흔히 말했다. 화장단장을 아무리 해도 "나무양판이 놋쇠양판 안 된다." 며 애써 얼굴화장 몸단장하는, 못생긴 여자를 비웃기도 했다. 이런저런 신화 같고 전설 같은 이야기를 읽고 보고 들으며 성장했다.

생활이 곤고하고 핍절한 1950년대에서 60년대를 성장기로 지나쳐온 대한민국의 여자로서, 그리고 지성을 갖추려고 고등교육까지 열심히 학습한 여성으로서 거부감을 갖지 않을 수가 없다. "이왕이면 다홍치마"라고 곱고 예쁜 여자를 선호하는 것까지 탓할 수는 없지만 제 여자도 아니면서, 얼굴을 보고 인격적인 차별을 하는 게 문제다. 게다가 "이쁜 여자는 하는 짓도 이뻐 보인다."며 예쁜 여자의 잘못은 금세 용서가 된다. 미모의 여자는 사랑에 반드시 필요하다는 성심과 노력 없이도 쓸 만한 남자의 선택을 받는다. 남자는 대부분 남성우월주의의 하나인 섹스에 있어서도 남자가 주도권을 쥐고 있다는 편견 또는 망상을 갖고 있기 때문이다.

오늘날 생리학적 연구에 따르면, 생리학적으로 여성이 훨씬 에로틱하고 육체미도 아름다우며 난관 속에서 생존력도

훨씬 강하다는 것이다. 남자가 여자의 미모를 선택하던 시대
는 지나가고 있건만, 한국에선 미모제일주의가 팽배하고 있
단다. 지성의 시대가 되었건만 의료기술을 이용한 개조미모
에 혈안이 되었다고 할까. 더하여 남자의 성형과 화장, 육체
미를 위한 운동이 지나치게 성행하고 있다. 바람 타는 한국인
의 성질이 드러난 것이리라. 이 또한 지나가리라!

　'No means no!', 'me too', 'with you' 사건상황은 오
래된 남자들의 잘못된 여성관 때문에 발생했다. 현대는 남녀
공히 공부할 권리와 자기 일을 할 권리를 갖고 있으며 인격권
을 인정하고 인정받을 권리와 의무가 있다. 인간 대 인간으로
공생할 시대가 도래하고 있다. 점점 인간의 인격, 지성, 능력
으로 끼리끼리 공동공생하게 될까? 남자 여자이기 전에 우리
는 모두 한 인간으로 대접하고 대접받아야 한다.

세계지도 벽화壁畵

　가장 오묘하고 아름답고 광활한 그림인 세계지도를 벽화처럼 걸어두고 살았다.

　어렸을 적부터 지도 또는 세계지도는 늘상 꿈을 꾸게 했다. 갖가지 책을 읽고 세계지도를 펼치면 세계유적지나 산하와 거리거리를 몇 시간이나 꿈꾸듯이 돌아다녔다.

　딸애를 기르는 동안 응접실 벽에 세계전도를 걸었다. 책속의 국가나 지명을 더듬으며 세계여행을 함께하곤 했다. 미취학 어린 딸애의 별명은 쉬즈Shoes였다. 신발을 하도 좋아해서 신발장엔 아이의 신발이 가득했다. 신발이 다 닳도록 세계를 돌아다니며 살라고 꿈을 심었다.

　지도는 상상의 시작점이 되곤 했다. 역사적 관심과 소설적 환상을 그리게 했다. 열네 살 적 헤밍웨이의『노인과 바다』를 읽고 지도의 바다를 짚으며 망망하고 푸르디푸른 대해를 헤맸다. 연두색 한 점을 가리키며 킬리만자로 설산을 홀로 오르는 고독과 절망을 배우고, 그 정열과 춤의 나라 스페인의 내전을 슬퍼하며 스페인의 땅덩이를 찾아보기도 했다. 카렌 블릭센의 소설 『Out of Africa』를 통해 그의 멋진 사랑과 낭만의 집에 들러 밥을 먹고 춤을 추고 싶어서 아프리카 대륙을 더듬기도 했다.

세바스티앙 살가두의 자연세계 사진을 보고 또 보며, 인간의 손발이 거의 닿지 않은 미지의 땅에 가서 수수천년 수수만년 자연스레 자연답게 살아온 신묘 희귀한 동물과 식물과 조류들, 원시적인 사람들을 한껏 보고 싶었다. 그들에게서 나는 향기와 소리와 언어를 들어보고 싶었다. 그곳의 바람소리는 어떨까? 그곳의 공기맛은 어떨까?

킬리만자로—꿈에도 그리는 『어린 왕자』의 바오밥나무가 자란다는 그 산에서 그 나무 그늘 아래 앉아서, 그 나무의 둥시런 밑둥에 기대어 밤하늘의 달과 별을 바라본다면 내 눈동자는 별처럼 빛날 것이다. 환상적이지 않으랴.

아프리카 밀림에 가보고 싶은 단 하나의 이유는 유추프라카치아를 만나서 날마다 그 꽃을 쓰다듬어 보려는 것이다. 얼마나 가서 둘러보고 머물러보고 싶은 곳이 많았던가. 그곳엔 산야초와 기기묘묘한 수목이 신비롭고 아름다워서 지상낙원일 것 아닌가. 손가락과 눈으로 이 나라 저 나라 요 지역 조

지역을 짚으며 옛날이야기 듣듯 신비로이 부푸는 가슴이 되곤 했다.

우리나라 최초의 여행가이자 거지방랑객이던 김찬삼이 흑백사진으로 발간한 『김찬삼의 세계여행』은 여중생에겐 꿈의 도서였다. 그 책은 영화나 소설보다 멋진 미래의 세계였다. 반백 년도 더 이전, 내가 중학생 때 받은 아버지의 선물이었다.

그 후로 세상은 엄청나게 변화했다. 사람들의 발길이 닿지 않는 곳이 거의 없을 지경이고, 지나치게 사람이 돌아다니며 지구자연에게 공해를 끼쳐 지구생명들이 위태로워진 지경이다. 제 땅에서 제 생명들이 제대로 살고 존속하지 못하는 지경이 되고 있다. 현재 46%가 멸종되었다 한다. 이 지구자연이 누구의 소유인가? 이 세계의 어디가 아프고 괴로운가? 누가 이 아름다운 생명의 지구를 병들게 하고 파괴시키는가?

사람들의 수선스러운 해외여행이 불어나는 어느 봄날, 방 한쪽 벽을 커튼처럼 덮고 있던 세계지도를 걷어냈다. 20여 군데에 붉은 싸인펜으로 동그라미를 그려놓은 지역을 훑어보다가 피식 헛웃음이 터졌다. 조족지혈이다! 내가 누빈 땅은, 마치 내 몸 중에 새끼발가락 한 마디 크기만이나 할까……. 어디어디 여행을 했다고? 다른 나라와 그 국민을 안다고? 어떤 나라의 무엇을 먹고 어떤 바닷가에 가봤다고? 하하하핫 하하핫! 크크크큭 크크큭! 쯔쯔쯔쯧 쯔쯔쯧!

21세기가 시작되기도 전에 세계경관과 역사유적지의 동영상과 칼라사진이 쏟아져 나왔다. 세계의 요지가지 생명체의 생활과 오지의 자연풍경을 수시로 볼 수 있었다. 그것에도 이젠 별난 호기심이 일지 않는다. 몸이 쇠약해져가는 때문만은 아니다. 진실로 어느 순간에, 방대한 태평양의 물 한 바가지 맛이 인생의 맛이란 걸 통감했기 때문이다. 아니 그 눈뜸 덕분이다.

세계지도보다 내 두뇌지도와 심장지도를 제대로 알기에도 인간의 능력은 한없이 모자라고 살 시간은 무참할 정도로 짧다. 공해를 펑펑 내뿜으며 깨끗한 지구자연을 죽이고 망치러 돌아다닐 까닭이 내겐 없다. 톨스토이는 한국에 와본 적 없어도 한국인인 나에게 지대한 사상적 영향을 끼칠 만한 소설을 남겨주었다. 석가모니는 돌아다닐 때보다 한 곳에 머물면서 대오각성을 완성했다. 아, 깨달음은 아무리 늦어도 얻지 못함보다 낫지 않겠는가.

동네 뒷산을 오르락내리락 걸으면서 나는 세계인을 인식하고 지구자연을 생각한다. 내 두뇌는 지구의 살가죽을 좌로 우로 돌아다니고, 내 심성은 태평양 대서양의 바닷물처럼 인간과 세상의 오지랖을 스미어 들인다.

　오늘, 세계지도를 뜯었다. 인간세계를 들여다보는 나는, 부처님처럼 맨손 맨발 맨마음이다. 삶의 본질과 죽음의 본질을 환상하는 것이다.

관棺 겸 농籠 겸

요지경 세상살이를 하면서 남다른 에피소드 하나 없는 인생은 무미건조하다. 밥만 잘 먹고 용변만 잘 배설하며 산 사람은 지극히 동물적인, ㅋㅋㅋ, 재미없는 사람이다.

이왕 나들이를 가는 거라면, 높낮이 다른 산에 기암괴석도 몇 군데 박혀 있으며 이 굽이 저 굽이에 맑은 물이 돌아 흐르는 골짝물길도 있는 길을 가고 싶다. 멋지지 아니한가. 인생 행로도 그러기를 나는 바랐다.

평탄한 동네길만 매일 걷는 것도 재미없고 고속도로만 달리는 것도 한심하다. 그리 빨리 달려가노라면 무엇 하나 흥미진진하게, 꼼꼼하게 즐기거나 알지도 못하고 목표지 혹은 길 끝에 후다닥 닿는다. 그런 사람이 노선老仙이 될 리 없다. 오직 한 번뿐인 인생이고, 한 번밖에 지나가지 않는 시간들을 게 눈 감추듯 보내는 건 싱겁기 짝이 없는 일이다.

기리다가 만나자는 의미로 작명한 '기린봉'이란 만남이 있다. 세상 좀 살아서 겉볼안 안목이 생기고 자주 만나다 보니 정이 들었다. 당연히 고상하게 예의 갖춘 이야기만 하랴. 살 아온 날이 많으니, 옛이야기에 후후후 킥킥 쯧쯧, 손바닥 마 주치듯 궁짝이 또한 잘 통한다. 어떤 사람과의 옛일을 나눌 때에도, 그이가 모르는 일화를 저이가 하거나, 저이가 빠트 린 얘기를 이이가 보태며 일화를 완성하기도 한다. 자고로 대 화란 콩팔칠팔 설왕설래 해야지, 선생이 딱딱하거나 졸음 오 는 강의하듯이 일방통행적 이야기여선 도통 재미가 없다. 그 래선 소화도 안 되고 머리회전도 안 되고 엔도르핀도 발생 안 된다.

'기린봉'의 ㄱ소설가, ㅇ시인, ㄱ수필가가 커피타임을 즐 기는데, 어쭈구리, 옛이야기만한 게 어디 있으랴. '기린봉' 의 꽃시절 그 까마득한 날에, 여성 중에 깃발을 흔들며 지낸 이가 몇이었으리요. 뭐니뭐니해도 고등교육을 받은 자들이 었다.

군산에서 성장하였으니 당연히 군산이 고향이라고 여긴 ㅇ시인이 아 글쎄, 충청남도 '서천' 출신이시란다. 에고야! 서천! 서천이라면 나에게도 그리운 곳 아닌가. 옛 자유당시 절부터 큰이모네가 '삼화양조장'을 경영하였으며, 구씨문중 丘氏門中의 장남며느리로 열녀상을 수상하신 큰이모를 추억하며 대뜸 주절거렸다.

"방학 때 큰이모댁에 가서 잔심부름을 하고 나면, 저녁에 계산한 후에 동전 한 줌씩 쥐어주시는데, 그걸 주머니에 한 열흘 모으면 한 학기 대학등록금이 되었어요. 등록금이 2만 1천8백 원도 하고 2만3천 원도 할 때였어요. 군산 영화백화점에 데리고 가서 정말 보드라운 앙고라세터를 사 입히고, 그 유명한 중국집 빈해원의 탕수육과 짜장면도 사주셨어요. 큰이모 덕분에 앙고라세터를 최초로 입었지요."

익산에서 군산으로 달려가면, 아버지의 지프차와 함께 배로 장항제련소의 불꽃 튀는 하얀 연기를 바라보며 장항에 닿았다. 장항에선 아버지의 지프차를 타고 서천 큰이모댁으로 데려다주셨다. 서천 옆 비인의 석화=굴도, 한산의 세모시도 우리 집에선 풍성했다고 맥도 없이 신나게 지껄였다. 반세기도 전의 이야기를 주워섬기니 미소로 들으셨다.

"수옥이 알아? 나랑 같이 군산에서 수학했었지!" ㅇ시인이 느닷없는 질문을 하는데,

"수옥이? ? ? 아, 관겸농겸 언니! 삼화양조장집 둘째언니여요."

관겸농겸 언니라는 말에 어리벙하는 ㅇ시인과 ㄱ소설가의 웬 이름이지? 하는 표정에 실실 웃으며 일화를 풀었다.

"제가 대학생 때, 아현고가도로(작년에 철거되었지요)가 최초로 생겼는데 바로 그 아현동 큰언니댁에서 학교 다닐 때였어요. 수옥언니 형부가 애경유지 대표인지 사장인지, 암튼 그랬어요. 그때엔 '호마이카' 장롱을 갖고 시집가던 시절이었어요."

"맞아 맞아, 그랬지! ㅎㅎㅎ"

"그땐 돈 좀 벌어 살 만한 집의 부인들이 자개장롱 사치를 좀 부릴 때였어요. 병원집이나 사업가 마누라들 말예요. 그때 언니가 형부더러 그랬대요. '나도 열두 자 자개농만 사주면 죽어도 여한이 없겠다!'고요."

"그래서요?"

"어느 날 밤. 형부가 봉투 하나를 툭 던져주시더니, '옛다! 관 겸 농 겸 해서 사라!' 그러시더래요. 하하하"

"수옥언니가 제일 먼저 으리으리한 자개농을 들여놓고 사촌까지 불러들여 자랑했지요. 수옥언니랑 우리 큰언니랑 모두 숙명여대를 다녔어요. 그때부터 언니이름일랑 젖혀두고 '관겸농겸'언니가 되었어요. ㅋㅋㅋ"

"아아, 죽으면 들어가는 관棺 겸 장롱 겸 해서라는 말이구나. 호호호. 관겸농겸!"

"그렇게 멋지고 활달 화통한 형부는 어쩌자고 명이 좀 짧으

셨어요!"

형부는 우주공간 어디쯤에 멋진 영혼의 현현인 초록별로
떠 있을 것이다. 이승에 못다 풀고 간 사랑과 유머를 위하여.

얼마나 다행인가. 어느 이름을 부르거나 이야기하며 "쯧쯧
쯧!" 혀를 차거나 "왜 살아? 혼자 잘났으면 저 혼자서 살지."
하는 말을 들을 언행을 하는 사람은 가여운 사람이다.

멋진 추억을 만들며 사는 사람이 나는 좋다.

방탄BTS은 우리의 현재

젊고 활기찬 음악은 삶을 활기차게 한다. 음악예술의 기운은 젊은이 늙은이의 차별이 없다. 방탄소년단BTS의 팝뮤직은 활활 타는 에너지를 세계 모든 이에게 발사한다.

방탄소년단은 세계적인 팝뮤직앨범차트인 빌보드메인차트에 3개 앨범이 1위로 등장했다. 얏호! 한국어로 노래하는 팝뮤직이 세계의 젊은이들을 열광케 한 것이다.

'욕망은 혁명적이다'고 했던가. 세계의 청춘들의 욕망은 한국어음악으로(-뮤직이라고 쓰고 음악이라 읽는다.) 세계의 음악세계를 혁명했다. 저들은 'The biggest boy band on the planet'이라는 둥 '21세기의 비틀즈'라고 표현했다. 방탄의 리더 알엠(RM)은 유엔총회에서 연설했다. 소위 한국의 유행가가수가 말이다. 미국 시사주간지 〈Time〉은 '인터넷 영향력 인사 25인의 하나'로 3년 연속 방탄을 선출했다.

방탄은 단지 유행이 아니라 '최첨단의 문화현상'이라고 학자들이 학문적으로 논증했다. 영국 콜레트 발메인(킹스턴 대학교) 교수의 주도였다. 이들의 음악 곧 시와 노래와 몸짓은 모두 '너 자신yourself'의 것이다. 다른 누구를 모방할 것도 없이, 그렇다고 훌륭할 것도 없이 오직 자기자신으로 산다는 의미다. Be ya, Speak ya, Love ya!

어린 천재가수 '보아'가 일본을 뚫고, 보통사람 같고 B급 가수 같은 '싸이'가 세계 34억 조회 수 기록으로 지구인간 절반의 호기심을 뚫고, 방탄은 영어권 주류 미디어의 그 높은 유리천장을 뚫었다. 방탄의 팬클럽인 아미ARMY의 힘으로 말이다. 방탄의 한국어 음악은 세계인에게 에너지를 주고, 한글세계화의 문을 열게 했다.

방탄은 여러모로 건강한 청춘이다. 세계인은 이미 변화하고 있다. 지식과 정보(스마트 폰과 인터넷의 사용)세계의 인간은 예술을 통한 소통뿐만 아니라 정치적이고 미학적인 현상으로 강화되고 있다. 방탄멤버들의 일상생활 동영상을 통해 아미들은 내적 친밀감을 갖고, 방탄이 만들어가는 가사와 노래의 메시지에 공감한다. 그들의 의상, 소품, 안무와도 일맥 소통하는 것이다.

아미ARMY는 방탄소년단의 팬클럽이다. 아미는 방탄과 엇비슷한 세대다. 그들은 엄청나게 문명적으로 발달된 세계에서 성장하며, 미국 혹은 영어권 중심의 사회권력에 시달리는 청춘들로, 그들에게 가해지는 학교의 억압과 사회의 편견을 막고 싶다는 것이다. 또 그들 청춘에게 안겨지는 세계사회에서의 불안, 슬픔, 고통, 미래의 암담함을 함께 공감하고 비판하고 저항한다. 그들의 삶과 세계의 주권은 스스로가 선택하여 이루고 싶어 한다.

방탄은 그들의 우울과 불안에 대한 이야기를 담은 노래 〈The Last〉를 무료로 온라인에 공개했다. 그들은 기존 또는 경제적 동물인 어른들처럼 돈으로 자기를 매매하는 게 아니라 그들의 아픔을 함께 위로하는 것이다. 그리고 〈Love Yourself〉 캠페인에 동참한다. UN총회에서 'Speak yourself'라는 주제로 한 연설은, 구체적으로 세계청소년의 살길을 제시한 것이기도 했다.

세계는 진정 하나의 지구촌이다. 세계인은 서로 소통할 수 있으며 개인일 권리가 있음을 실증한 현상이다. 세계 젊은이의 취향, 의식, 세계인식은 일맥상통한 것이다.

방탄은 현대인 10대 20대의 롤 모델이다. 기성세대에게 억압 받고 구속 받는 세대가, 방탄의 노랫말인 사회와 학교에 대한 비판 메시지에 공감하고 연대하기 시작했다. 그들 노래는 방송 부적합으로 방송에서 제외되기 일쑤였다. 아미는 전

세계 음반판매량 1위를 만들었다.

방탄소년단 팬클럽 ARMY에게 진짜 진짜로 고맙다. 세계의 젊은이들에게 선한 영향과 각자 생生의 긍정성을 심어주며 서로를 위로하고 격려하기 때문이다. 세계의 젊은이들이 인종 국적에 관계없이 서로를 이해하고 동료애를 느끼는 것이다. 그리고 그들은 미국 MTV의 'Video Music Awards'의 인종차별적 형태를 깨트렸다. 영어가 아닌 언어에 대한 차별도 깨기 시작했다. 세계는, 특히 세계의 제일강자인 미국에서는 영어중심의 세계를 부추기고, 백인중심, 서구중심에 거의 미국중심이었고 현재까지 그랬다. 바로 그 철통 같은 인종의 벽과 언어의 벽을 방탄소년단이 치기 시작한 셈이다. 이것이 인류공동의 미래, 지구촌의 미래를 함께하는 시금석이 될 것이다. 무엇보다도 이 점이 후련하고 세계 앞에 자랑스럽다.

방탄은 드디어, 2019년 시월상달 어느 날, 극심한 여성차별의 국가이며 여성인권의 오지奧地인 차도르의 나라 사우디아라비아의 왕궁 앞에서 공연을 했다. 그들의 건강미와 열정 넘치게 활기찬 춤에서 복부를 드러내는 것과 격렬한 동작을 삼가기로 배려를 했다. 숲의 나무들처럼 둘러선 여성들은 한국어로 '떼창'을 했다. 멋지다, 방탄소년단이여. 만국인의 언어다, 한국어여!

지구의 모든 국가를 한 이름 '지구촌'이라 한다. 젊은 지성 방탄소년단은, 지구인이 서로 이해하고 동존同存 공생共生하는 생각으로 지구촌의 미래를 함께 이끌어갈 첫 깃발이요 첫 걸음이다. 방탄소년단이여. 지구인은 한 형제다. 영영 젊고 자유로운 정신으로 노래하라!

소문난 콩나물국밥

연말 즈음이면 저녁음식을 걸게 먹곤 한다. 한잔 술과 담소로 노닥거리느라고 야심하도록 위장을 괴롭히는 것이다. 그게 사는 맛이기도 한 걸 어쩌랴.

잠깐 고부라지게 자고 나니 아침이다. 부기 오른 몸은 노곤하고 입안은 깔깔하고 뱃속은 더부룩하다. 어찌하나, 저 친구들의 조반을? 밥 지을 맘도 기운도 안 나고 귀찮다. 그렇다고 굶기랴.

옳다구나! 콩나물국밥! 전주에 사는 덕분에 해장국을 끓이지 않아도 된다. 콩나물국밥 집으로 고고. 대충 둘러쓰고 건들건들 고고. 남녀노소 누구나 차별 없이 먹을 만한 맛, 개운하고 시원한 맛을 찾아 한들한들 고고. 값싸고 질 좋은, 결코 탈 안 나는 음식 콩나물국밥 먹으러 새벽 어스름 뚫고 조잘조잘 간다.

전주의 음식은 비교적 간간짭짤하고 매움하다. 기후가 따뜻하고 채소가 풍족하여 그 채소반찬에 먹을 맛을 내기 위해 밑간이 발달한 셈이다. 특히 북풍 시린 겨울에나 푹푹 찌는 삼복더위에 참 알맞은 맛이며, 보릿고개와 가을걷이 때에도 저장하기 쉬운 방법이다. 그중에 사시사철 시도때도 없이 밥상에 푸짐하게 오르는 반찬은 콩나물반찬이다. 나는 콩나물음식을 고루 잘했다. 찌개류 말고도 콩나물만두, 콩나물잡채, 콩나물짠지, 콩나물비빔밥은 나를 솜씨장이로 소문내줬다. 우후, 콩나물반찬 이야기만으로도 젊은 날이 그리워진다.

나는 콩나물을 자주 길러 먹었다. 작은 질그릇 시루에도 불린 콩을 안치고, 불에 달군 송곳으로 숭숭 구멍을 뚫은 플라스틱 그릇에도 한 줌씩 길러 먹고, 급기야 전자식 콩나물시루를 들이어 겨울 내내 알뜰히 길러 먹기도 했다. 짧을 땐 해장국거리나 만두 속 고명이요 길어지면 콩나물짠지를 만들거나 제육찌개에 넣어 아삭아삭 씹는 맛을 즐기곤 했다.

어릴 적, 금만경金萬頃땅 회룡리回龍里 외가에서 지내는 겨울밤. 콩나물시루에서 조로록조로록 물 내리는 소리에 밤은 깊어가고, 이불깃을 다독여주시는 외할머니 젖가슴에선 비릿하고 달착지근한 엄마냄새가 났다. 연노랑 대가리와 늘씬한 외다리의 콩나물은 서로 얼굴 부비며 촘촘히 질서 있게 자랐다. 새벽 어스름에 콩대가리를 잡고 쏙쏙 뽑아내어도 저녁나절이면 또 콩나물은 우부룩이 자라났다. 콩나물 크듯이 쑥쑥 곧게곧게 사이좋게 자라라. 외할머니는 내 등을 토닥거리셨다.

그나저나 콩나물 하면 콩나물국밥이고, 콩나물국밥 하면 전주의 유명음식이다.

전주에선 상수도가 늦으막이 도입될 정도로 식수의 질이 깨끗하고 좋았다. 특히 철분, 무기질, 마그네슘이 많은 센물은 콩나물 기르기에 안성맞춤이었다. 싱싱한 채소가 부족한 겨울철에 수경재배로 신선한 채소를 상복할 수 있은 것이다. 콩나물은 참 지혜로운 조상의 발명식품이요 자연식품이다.

전주콩나물은 전주의 남쪽을 에두른 산 좋고 물 좋은 땅 임실에서 재배한 쥐눈이콩을 전주 남천과 서천을 돌돌돌 흐르는 맑고 다수운 물로 기른 것을 최고의 품질로 쳤다. 그 맛과 콩나물이 자라나는 느긋한 기다림을 즐기느라 지금도 가끔 쥐눈이콩을 컵시루에 안친다.

자 이제, 콩나물국밥을 맛나게 드십시다.

콩나물국밥에는 맛깔난 조미료가 셋 있으니, 새우젓, 막 익어 국물이 있는 깍두기, 따끈한 모주 한 잔이다. 국밥에 새우젓을 넣고 저어 간을 한 다음, 깍두기국물을 한 숟갈 떠 섞어 뒤적거리면 입안에 침이 고여 온다. 달착지근하고 따끈한 모주를 두어 수저 떠 마시고 입맛을 다신 후에야 콩나물을 아작아작 씹으며 후루룩후루룩 뱃속풀이, 기분풀이, 맛풀이를 한다. 어어, 시원하다!

오래전 혹은 한참 전엔 전주에 내방來訪한 친구들에게 식사대접을 편하고 즐겁게 하는 콩나물국밥집이 몇 군데 있었다. 이따금 음식솜씨와 입소문 일화로 소문난 집을 들락거리기도 했으니, 대개 다가동 전주관광호텔 부근의 용남옥, 삼백집, 삼일관과 동문거리의 옴팡집, 다래, 남부시장 안 왱이집(현재, 한옥마을 동문사거리에) 등이다. 그러나 초록바위 아래 개천(현재는 포장된 도로) 건너편에 있던 '소문난집'의 국물맛이 가장 담백하고 깔끔하여 입맛에 딱이었다.

관광객이 아니라 토박이 전주입맛을 찾는 친구들을 위해 '소문난집'을 소개해야겠다.

겨울아침. 키 낮은 문을 밀치고 들어가면 부뚜막에는 쪼그라든 희나리고추가 가지런히 널려있고, 잘생긴 아저씨와 늘씬한 아주머니 부부가 함께 눈짓으로 자리에 앉으라 하고는 뚝배기를 연탄불 위에 얹고 맑은 국물을 부었다. 아저씨가 집게로 집은 국밥뚝배기를 상에 올리고 자잘하게 썬 깍두기 보시기와 새우젓 종지를 놓아준다. 그러면 아주머니가 부뚜막의 고추 한 개를 집어 숟가락 등으로 눌러 비벼서 거칠거칠한 고춧가루를 만들어 국밥 위에 쏟아준다. 드디어 완성. 나는 그 고춧가루 으깨는 소리가 어찌나 맑고 섬세한지, 참 좋았다.

명절이나 제사를 치르면 어른손님의 치다꺼리가 많았다. 어느 땐 밤낚시로 후줄근해지기도 했다. 삭신이 노곤하고 긴장이 풀리면 조반을 장만하기가 귀찮아지는 건 당연지사. 아기를 등에 업고 새벽바람을 마시며 어슴푸레한 천변 길을 따라 흥얼흥얼 걸었다. 오목눈이, 참새, 쇠새 소리를 들으며 전주천변을 걸어 하얀 백로들이 깃을 접고 잠자고 있는 초록바위(곤지산)의 엉덩이를 돌아 '소문난집'에 들어가는 것이다. 마흔이 훌쩍 넘은 딸애는 갓난아기 때부터 '소문난집'의 고객이다. 아저씨 왈 "우리 집 최연소 단골손님"이라셨다. 건강하신 두 어르신(팔순이 훌쩍 넘은 분들이다)은 아직도 찾아갈 때마다 따뜻한 미소로 맞아주신다.

'소문난집'은 공수내천을 복개하고 도로를 정비하면서 살짝 옮겼다. 솜씨를 물려받은 사위와 따님이 반주방장이다. 손님 욕심에 거창하게 넓힌 것도 아니고 맛이 변하지도 않아 여전히 단골로 들락날락한다. 남녀노소 가족들, 새벽등산과 운동을 마친 친구들, 종종 예술가와 학자가 드나든다. 깔끔하고 오래된 맛을 변함없이 유지하기 때문이다.

'소문난집'은 서서학동 공수내다리 시내버스정류소 딱 그 앞에 있다. 어둑새벽부터 정오쯤까지 열려있다. 어깨 옹송그리거나 부스스한 얼굴로 찾아가도, 더부룩한 뱃속으로 찾아가도 몸속이 먼저 개운해진다.

4부

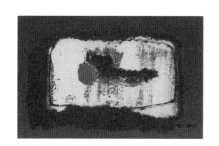

생각나는 사람들

얼마큼 살아야 인생을 제대로 알까.

2018년 1월까지, 나는 오래, 길게 살았다. 말이 70년 세월이지, 그 시간의 길이는 막막하지만, 기실 한 줌에 드는 시간이다. 하루를 천추같이 넘겼는가 하면 또 어느 하루는 지옥같이 시간개념 없이 넘기기도 했다. 시간이 쌓여 인생무상일 뿐, 시간은 그 무게도 빛깔도 없고 얼굴도 꼬리도 없다.

그러나 나는 아직 시간을 사용하고 있는 '산사람'이다. 다만 죽음으로의 구체적 여정을 시작할 때다. 과거를 돌아보지 않을 수 없다. 시간을 잘 쓰며 사노라고 살았건만 웬걸, 헛짓 헛놀이 같아서 망연자실茫然自失한다. 이즈막 '마틴 루터 킹의 날'을 맞아, 젊을 적에 존경한 흑인들이 나를 응시하고 있다. 아니 내가 그들의 혼불을 묵시黙視하고 있다. 내 삶이 구차하고 너무 길다는 한탄이 나온다.

흑백융화주의를 이상으로 삼은 M.L.킹을 존경했다. 미국의 범죄와 아메리칸 드림 같은 거짓 희망에게 반기를 들었기 때문이다. 백인우월주의와 거짓인권이 판치는 나라에서, 그는 미국시민이지만, 백인들에게서 아무 권리도 제대로 인정받지 못했다. 그러나 그는 인간의 존엄성, 인간에 대한 존엄성에 대해서 잘 알았다. 물론 잘 안다고 해서 세상이 확 바뀌진 않지만, 잘 알아야 하나라도 바꿀 수 있다! 킹에게서 내가 배운, 가장 훌륭한 교훈이다.

킹은 흑인의 정체성을 깨닫는 순간부터, 미국의 어디에도 자기의 길과 자기의 자리는 없다는 것을 절감했다. 미국에서 '니그로'라는 말은 영속성을 가지고 있었던 것이다. 열여섯 살 소녀인 나는 아버지께서 생일선물로 안겨준 흑인문학전집을 읽었고, 흑인영가와 재즈를 가슴 울리게 좋아했다. 흑인 작가의 시와 소설을 읽으며 나는 아프고 슬픈 생각을 넓고 깊이 했다.

미국이 인권이 있는 나라라고요? 인권은 인간으로 대접받을 권리겠지요? 미국의 백인은 그 땅의 원주민인 아메리카인디언과, 백인이 아프리카에서 아메리카로 이주시키고 노예로 부린 흑인에게 인권을 인정했는가요? 킹은 미국시민으로서 대접받을 권리와, 미국인은 그 누구라도 미국법의 보호를 받을 권리가 있음을 알았지만, 알수록 비참하고 억울하며 인권부재의 사각지대에서 천대받는 흑인의 비애에 분통터졌다. 알아야 싸울 수 있고, 알게 하는 것이 싸움의 시작이라는 것을 깨달았다. 인권을 깨달을수록 인권 없는 흑인의 비애 비참 비통을 절감한 것이다. 그가 선택한 첫째 투쟁수단은 강연 연설이었다. 배우고 가르쳐 알게 하는 것이 힘이라고 생각했기 때문이다.

우리 국민은 교육열 덕분에 국민의 권리가 뭔지, 인권이 뭔지 알게 되었고 총소리와 살상 없는 촛불의 혁명을 이루었다. 어리고 젊은, 똑똑한 미래의 주인들이 썩은 정부를 바꾼 것이다. 알아야 바꿀 수 있는 것이다! 나는 킹처럼 뜻을 세우고 투쟁하는 실천적 사람을 좋아한다.

말콤 엑스처럼 살아도 좋을 것이다. 그는 일찍 죽고 오래 살아남은 사람이다. 그에 대한 영화와 책은 정신을 번쩍 깨어나게 했다.

"백인이 내리는 미국의 평가는 신뢰할 수 없다."

"흑백분리주의의 우라질 상황은 왜 이리 쓰디쓰고 거짓되고 못났는지? 헛된 눈물을 결코 흘리고 싶지 않다."

"우리는 인간으로 인정받기 위해 투쟁하는 것이다."

그는 미국인이면서, 미국인에게, 가장 천대를 받은 미국인이다. 인권을 인정받지 못한 삶이었으니까. 두 차례 세계대

전으로 권력과 자본주의의 부를 획득한 미국의 실체와 내면을 속속들이 알아채기 시작한 것이다.

사람들은 흔히 진솔한 현실보다 환상을 선호한다. 꿈으로의 도피를 꿈이라고 여긴다. 자본주의의 현실은 온통 숫자＝경제숫자에만 관심 갖게 하다 죽음에 이르게 하는 사회다. 인생의 설계와 꿈과 희망이 오직 경제숫자다. 말콤 엑스는 순진하게 흑인을 위해 봉사한 게 아니라 그 혼탁 속에서 살아남으려고 애쓴 것이다. 그는 니그로이므로, 그에게 인권과 인류애와 자본은 하늘의 별일 뿐이었다. 그리고 그는 결국 인권의 나라에서 살해당했다.

흑인 명배우 시드니 포에티에를 좋아했다. 대학시절에 영화 〈밤의 열기 속으로〉는 젊은 지성을 열광케 했다. 월트 디즈니의 나라, 아메리칸드림의 나라가 아니라 인종편견과 인종차별이 심한 미국을 눈치챈 것이다. 그때의 영화 속에서, 흑인은 낮은 수입의 험한 직업에 종사하는 게 대부분이었다. 당시 인기였던 아파치 영화는, 인디언의 무지와 백인우월의 신화로 꾸며졌었다. 영화를 통해서 인간의 편견에 대해 서서히 인식하기 시작했다.

영화 〈초대받지 않은 손님〉과 〈선생님께 사랑을 보내며〉에서 그는 인격이 아름답고 잘생긴 흑인사람이었다. 그는 말했다. "폭력은 가장 미국적인 문화의 일부다."고. 그는 흑인이므로 갖가지 생활 속에서 비인격적이고 비인권적인 푸대접을 받았다. 똑같은 음식을 먹는데 차별되고 분리된 자리에 서야 하고, 똑같은 음식물이 생성한 분뇨를 배설하는데도 같은 화장실을 사용하지 못하게 하는 나라가 미국이다. 인권이 생생히 실현되는 국가인가?

미투=Me Too운동이 한창일 때 말콤 엑스와 마틴 루터 킹의 다큐멘터리 영화를 보았다. 미국에서 겪는 흑인의 고통을 응시하며 한국인 남성이 여성을 대하는 의식이랑 흡사하다는 생각을 했다. 여성에 대한 도덕적 불감증과 여성비하의식이 뿌리 깊은 것이다. 역사적으로, 현대에도 여성차별에 대해서 몰상식하다. 기독교인들이 "서로 사랑하라"는 말을 입술에 걸지만 실상은 예수님처럼 실천하지는 않듯이 말이다. 남성은 습관적으로 여성에게 군림하거나, 여성을 소유하거나 천대해 온 것이다. 여성은 그러려니 하고 길들어져 왔다고 할까. 남성과 여성이 쌓아온 편견의식은 이미 화해를 불가능하게 한다, 마치 백인과 흑인의 관계처럼.

요즘 나는, 뿌리 깊이 고정관념이 된 의식들을 고쳐 생각하고 있다. 나이 들어 쉴 시간이 생기자 머리와 마음을 쉴 겸 역사와 진실을 심심풀이로 돌이켜보고 있다. 새로이 동트는 날들을 새 인생과 진지하게 대면하기 위해서다. 알아야 인생의 잘못을 한 가지라도 바꾼다!

타인의 고통

고통은 몸과 맘이 지독하게 아픈 것이다. 그런데 남의 말 기암보다 내 설사복통을 더욱 못견뎌하는 게 사람이다. 곧 사람은 남의 고통을 함께 아파하지 못한다는 말이다.

『타인의 고통』의 저자 수전 손택은 독일출판협회로부터 '평화상'을 수상했다. 그는 냉철하게 인간이 당한 고통을 연구 분석했다. "미국은 대량학살 위에 세워졌다." "미국백인은 역사의 암이다."는 그의 발언에 많은 이가 동감했다. 인간은, 아니 인간의 뇌는 보고 배우는 천재다. 나는 미국에서 벌어지는 천인공노할 살인의 뿌리를 여러 면에서 들여다보았다.

현대사회는 잔혹한 폭력이 난무한다. 남의 고통을 스펙타클로 소비하고 있다. 그저 잠깐의 화제꺼리나 지겨운 타인의 고통으로 처리하고 만다. 이런 점에서 근래 우리의 영화는 위험하다. 〈밀정〉, 〈군함도〉……. 폭력과 타인의 고통을 즐기러 관객이 즐비하다. 용산참사, 세월호사건, 제천화재사건도

강 건너 불구경이나 잠깐의 이야깃거리에 지나지 않았다. 우르르 불길처럼 한탄하고 분노하다간 동정심도 일으키지 않은 채 잊는다. 왜 그럴까? 타인의 고통일 뿐이니까!

기독교인이 가장 많은(인구비율로) 한국의 국민은 타인의 고통에 그냥 익숙하고 침착하다. 뇌가 성경 속 고통에 길들여져서인가 보다. 성경 속 역사나 기독교의 예술은 지옥과 고통받는 인간을 숱하게 표현하고 있지 않은가. 자식으로 번제를 올리고, 인간의 삶의 현장인 소돔과 고모라를 와르르 파괴하고 멸망시켰다. 세례요한은 모가지를 잘라 죽이고, 베드로는 거꾸로 매달려 죽었다. 소위 성서聖書에 온통 인간잔혹사가 그득하다. 역사상 인간을 가장 많이 죽인 건 십자군전쟁이라지 않은가.

세계1차대전 후 1928년, 미국, 영국, 프랑스, 독일, 이탈리아 등등 15개국이 켈로그-브리앙조약을 체결하고, 전쟁을 정책도구로 사용하지 않겠다고 선언했다. 전쟁이 인간과 삶을 찢어발기고 잡아 뜯어 산산조각내고 초토화시키고 황폐화시킨다는 사실을 목격했으니까. 전쟁은 폭격폭력이고 대량학살에 고문拷問 암살을 일삼고 결국 숱한 인간을 불구자와 정신병자로 만든다. 무수한 사람을 부랑자로 만들며 뇌에 트라우마를 심는다. 그러나 인간은 길들여지는 두뇌를 갖고 있다.

카타르의 '알자지라 방송'으로 박살난 주거지와 처참히 살 상 당한 민간인을 보았다. 마치 영화에서 본 것처럼 잠시 분 노, 격앙하고는 이내 익숙해졌다. 이런 일들을 누가 진행하 는가? 그 영향력은 결국 어떠하며, 무엇인가?

21세기가 시작되기 한참 전부터 '전세계뉴스'라는 어법으 로, 지구촌 방방곡곡에서 벌어지는 크고 작은 전쟁참상을 보 고 듣는다. 망가진 인간과 박살난 생활근거지, 난민의 열악 한 보트피플 신세를 단막극처럼 보고 있다. 솔직히 그것에서 인간의 고통을 뼈저리게 의식하는 사람은 몇이나 될까?

신문잡지에 사진을 게재하여 대중에게 최초로 보도된 전쟁 은 스페인내전이라 한다. E.헤밍웨이의 소설 『누구를 위하여 종은 울리나』의 배경이 된 전쟁이다. 1839년 카메라가 발명 된 이래 최고의 전쟁사진 작가는 로버트 카파였다.

학자들은 연구했다. 고통 받는 육체의 사진을 보려는 욕망 은 나체사진에 대한 욕망만큼 격렬하단다. 인간은 잔혹함에서 도 쾌락을 느낀다는 것이다.

세례요한은 홀로 페르네스(참수)를 당하고 헤브라이의 신 생남아와 11,000명의 처녀들을 잔인하게 살해했다. 그 고 통을 생생히 기록한 성서가 가장 많이 팔린 책이며 읽힌 책이란다. 그렇게 사람의 뇌는 자기도 모르게 타인의 고통에 길들여진다는 것이다.

2001년 9월 11일 오후 9시 TV뉴스를 시청하는 도중에 미국의 세계무역센터가 비행기의 멋진 비행에 의해 붕괴되는 장면을 보았다. 그냥 숱하게 보아온 미국형 공상과학영화의 한 장면인 양 놀람 없이 보았다. 그런데 엄청난 참사였다. 그러나 그것은 미국의 애사哀事일 뿐, 영화의 장면처럼 곧 잊혀졌다. 우리가, 1945년 8월의 원자폭탄 투하에 의한 비참과 비애를 까맣게 잊고 살듯이 말이다.

공부는 할수록 겸손해지고 지혜가 생기지만, 타인의 고통은 볼수록 무뎌지고 인간애를 잃어가게 한다. 9.11테러를 겪은 미국 부시 대통령과 트럼프 현재 대통령은 툭하면 우리 동포의 국가 북한에게 최고최대의 고통을 양산하는 전쟁을 도발하겠다는 발언을 씨부렁거리는데, 미국백인의 핏줄이라서 그런가 싶어진다. 타인의 고통으로 이익을 보고 즐기는 자는 야비하고 사악한 인간 망종亡種이다.

인간은 인류애를 발현하므로 인간이다. 타인의 고통을 통해 신산辛酸을 배우지 못하면 절대로 성숙하지 못한다.

겉볼안

인생을 알 만한 사람들은 말한다, 겉볼안이라고. 그 사람의 겉모습을 보면 그 내면을 짐작할 수 있다는 뜻이다.

겉볼안에 가인박명佳人薄命이란 말이 있다. 하지만 가인박명은 남자의 견해에 의해서 생긴 몹쓸 편견이다. 사람은 단순함과 복잡함의 집합체인 걸 간과한 결론이다. 미모의 심장과 두뇌에 깊숙이 저장된 내면의 에너지를 알아낼 수 있는 혜안은 극히 드문 법이다.

특별히 부르주아계층은 아니지만 문화적 예술적 교육적인 환경에서 성장했다. 비가 내리는 아침이면 피아노음악을 듣고, 홀로 미래의 어떤 날을 그릴 때엔 작은 오르골에서 천상의 음악같이 섬세하고 맑은 선율을 들었다. 그 음악은 내면과 동화하는 소리였다. 단테와 플라톤, 니체를 또박또박 따져보면서도, 꽃이 피고 시드는 모습에 몽환적夢幻的인 이야기를 그려보기도 했다.

겉볼안. 부모는 나를 품어주었다. 허나 대부분의 타인은, 그가 보고 싶거나 그의 크기만큼만 나를 보거나 알 뿐이다. 그런 타인들 앞에서 나는 나일 수 없었다. 그 결정타는 사랑이라는 이름으로 나를 가두고 묶고 옭죄던 경험에서 비롯되었다. 사랑의 감옥 안에서 수형생활을 치른 경험은 나를 변화시켰다. 나는 더 이상 어떤 보배도 아닌 사물 같았다.

물론 나는 보석이 되길 소원했다. 그러므로 깎이고 다듬기고 갈아대는 것을 잘 견디리라 작심했지만, 내 인생이라고 해서 나 홀로 가꾸는 게 아니라 수많은 조연들에 의해 꾸며지는 것이잖은가. 이름 없는 광부가 광석을 캐고 제련사가 제련 조련한 후, 티파니보석상의 보석세공사가 보석을 가공加工하여 최고의 보석을 완성한다. 그 보석도 물품일 뿐, 그 미적 가치에 상응하는 값을 치른 구입자가 그 보석을 착용할 때 진실로 보석이 된다. 그러므로 소원所願은 수정修整, 교정矯正되어야 하고 마지막에 보석으로 살아남아야 소원이 이뤄지는 것이다.

역사적으로 그 오류는 곳곳에 성행했다. 남성정치가와 군대권력에 의해 전쟁은 촉발되고, 남성예술가에 의해 예술의 독재가 발생했다. 20세기 중반까지도 여성은 사회의 보석이 되면 안 되었다. 마녀사냥을 겪어야 했고, 소위 팔자가 드세거나 사납다고 폄훼되고 매도되었다. 인권이나 자기인생의 주권도 없이 남자의 우산 아래서 땡볕과 비를 피하면 되었다. 그리고 남자는 여자를 성녀聖女 아니면 창녀娼女로 양분했다. 웃기는 건, 자기의 여자를 겉보기의 성녀로 포장하면서 내면으로 창녀이기를 바랐다.

나는 지적 욕구를 가졌다. 감성적 예술성과 철학적 안목이 넘치는 삶을 바랐다. 그러나 생활의 방책인 경제력 생산에는 문외한이었다. 부모의 공덕 덕분인지, 재욕財慾을 부리지 않아도 복이 많아서인지 쓸 것은 충족되었다. 구걸하거나 도적질하지 않고, 천박하게 남의 것에 빌붙어 살지 않아도 되었다. 그렇다고 일하지 않거나 혼자서 배불리지도 않았다. 겉으로는 남의 뜻과 말을 들으면서도 안으로는 내 자신의 목소리를 듣기 시작했다. 그때부터 비로소 내 인생은 나의 것이 되어갔다.

타인은 타인일 뿐이다. 보편적인 과거지향의 사고로 도배된 여론은 야박하기 그지없다. 자기미화는 강하고 타인의 불행은 질겅질겅 씹는 화젯거리에 불과하다. 인생의 굴곡을 모르는 사람은 인생을 이해하기 어려운 법이다. 지혜의 솔로몬이나 명석한 포오셔 같은 판관은 드문 법이다. 정해진 견해로 타인을 판단하고 단언하기를 즐기는 사람은 법정의 판사일 뿐이다.

인류역사의 발전은 일부 사람의 고통 고행의 덕으로 이루어졌다. 그것을 간과하면 인생을 제대로 배워 알 수 없다. 역사기록을 단지 외워 아는 건 단순지식일 뿐, 역사에서 현재와 미래를 사유할 줄 알아야 제대로 공부하고 아는 것이다.

요즘, 깊이, 생각한다. 영화 〈삼손과 델릴라〉에서 델릴라 역할을 한, 당대 최고의 미녀배우였던 헤디 라머Hedy Lamarr의 명언을. "어떤 젊은 여성이든 매력적으로 보일 수 있어요. 가만히 서서 바보처럼 보이기만 하면 되니까요." 라는. 남자들은 머리가 빈, 얼굴 이쁜 여자를 즐거이 데리고 논다지 않는가. 겉볼안을 하지 못한 숱한 남자들 때문에 아름답고 명석한 그녀는 파란만장해야 했다. 그녀의 겉보기 미모만 보고 농락했으므로.

그녀는 일찍이 위대한 과학자였다. 최고로 지성적 과학적인 두뇌의 과학자고 발명가였다. 멍청이 미국군대에서는 그의 두뇌를 볼 줄도 모르고 여성과학자의 발명을 신뢰할 줄도 몰라 그녀의 발명을 방기했다. 그러고도 염치 좋게 한참 뒤에야, 미국군대는 그녀의 지적재산권을 도용盜用했다. 그 발명이 오늘날의 '와이파이'와 '블루투스', '내비게이션' 기술의 모태인 것이다.

2015년. 구글Google에서는 헤디 라머의 101주년 탄생을 기념하여 그녀를 조명했다. 그녀의 다큐멘터리 영화도 생산되었다. 그러나 이미 "No Hedy Lamarr", "No Google", "No Steve jobs"다.

스티브 잡스의 충고가 생각난다. "좋아하는 일을 하라."고. "죽음을 상기하라."고.

걸볼안. 말이 쉽지 참으로 어렵다. 그러나 걸볼안만 되면 진짜로 사람과 인생을 아는 사람이다.

인생은 예술

인간 누구에게나 이승을 살아갈 달란트가 있다.

물론 인생이란 게 그 능력의 대가를 정직하게 정확하게 반드시 돌려받는 것은 아니다. 느닷없는 불운의 함정—자기 능력과는 전혀 무관하게 덮치는 경우가 허다하다—이 처처에 잠복 중이기 때문이다. 그야말로 '내일 일은 몰라요'다. 아니, 한 치 코앞의 불행도 예측하지 못하는 경우가 비일비재하다. 다만 늙으면 좋은 점이 있으니, 살아온 만큼 인생의 환난에 길들여져 불행한 운명의 공포를 잊거나 이겨낼 뿐이다.

인간은 태어나자마자 지구와 우주의 한 공간을 차지하고 날마다 생生의 시간을 축적한다. 그 말은 서서히, 표시 없이 죽어간다는 말과 동의同意다. 태어나면 오직 한 번의 과정을 살고 한 번 죽는다. 그 천리天理를 잊고 살 뿐이다.

그 일회성의 인생을 죽음의 종착시終着時까지 잘 끌어가려면 과부하에 걸리지 말아야 한다. 악의 운명과 깊이 연루되거나 충돌하지 말아야 한다. 자칫 악한 기운에 치여 중도에 분열되거나 파괴될 수가 있다. 인간도 환경에 반응하는 생명체다. 비가 내리면 비의 영향을 받고 햇볕이 쨍쨍하면 그 햇볕 조건에 따라 활동한다. 이걸 깨닫고는 모든 이에게 공평무사심으로 대하고 싶었다.

인간이 각자 자기인생을 짓는 작가作家라면, 타인인 나는 그들의 독자다. 독자가 작가를 분석하고 사색하고 비판하는 것은 인생에 대해서 잘 이해하기 위해서다. 어린이는 어린이로, 술꾼은 술꾼으로 이해하고, 몇 점짜리 인생성적표인가를 헤아리는 것이다.

젊을 적엔 가끔 아는 이들의 사주를 풀었다. 그들의 운명 대의를 이해하면 훨씬 소통이 편하다. 그러려니 하면 된다고 할까. IQ가 얼마쯤인지 알면 합당한 지적능력을 고양시킬 수 있듯이 말이다. 사주를 푸는 것은, 사주대로라고 편견을 갖거나 맹신하라는 게 아니다. 단지 예측불허의 먼먼 인생길을 가는데 인생적성검사를 해서 시련난관을 피하거나 극복할 수 있도록 예지를 얻자는 뜻이다.

음양력이 교차하는 운명의 종류가 746,496가지인데 내가 익히 잘 아는 사람은 몇이나 될까? 게다가 인정을 나누는 사이라면 얼마나 소중하고 운명적이겠는가. 서로에게 넘치는 것은 망치기 전에 덜어내고, 모자라는 것은 도와서 채워주며 사는 것이다. 완벽한 사람, 완벽한 인생이란 없다고 슬퍼하는 게 아니라, 허점 없고 부족함 없는 인간은 하나도 없다는 걸 짐작하고, 서로 이해하고 도우며 살자 그 말이다. 그걸 알면 우리는 인생에 대하여 겸손할 수 있다. 인간에 대하여 자기의 바람을 강요하지 않을 수 있다. 자기가 남의 인생의 잣대인 줄 오해해선 안 된다.

그 누구도 나일 수 없으며, 나는 그 누구와도 다르게 살 수밖에 없다. 내가 낳아 내 인생관과 교육관으로 양육한 딸도 나와 다르게 살 수밖에 없다. 얼마나 다행한 일인가.

인간에겐 운명을 개척할 능력과 권리가 있다. 가만히 앉아서 기도하는 따위가 필요한 것이 아니라 액운의 홍수가 생기지 않도록 둑을 쌓고 물길을 내며 불행의 침입을 방비해야 한다. 그 능력은 인간이 가진 최고의 달란트이며, 그 힘의 발휘가 운명의 개척이다. 그러려면 자기를 과대평가하지 말고 타인의 능력을 과소평가하지 말아야 한다. 역逆의 경우도 마찬가지다.

콩을 심어야 콩싹이 나며, 여름 내내 부채질하고 놀기만 해선 추수할 건덕지가 없다는 걸 알면 달라진다. 무논 한 평 없으니 쌀밥을 못 먹는다고 한탄만 하지 말라는 말이다. 박토라도 갈아엎어서 콩을 심어야 콩이 난다. 힘써 머리 쓰고 일하여 콩을 수확하여, 쌀과 바꾸고 옷을 사고 집을 살 수 있는 것이다. 바로 운명을 개척하는 지혜다. 딸을 길러서 사위를 얻는 것과 같고, 자식을 길러서 많은 인연을 맺음과 같다.

나쁘기만 한 운명이나 행복만 열려있는 운명도 없다. 게다가 사주팔자대로 백% 이뤄져가는 운명도 없다. 같은 시사주라도 살아가는 시대가 다르고 부모에게서 받은 DNA가 다르기 때문이다. 단지 사주운명은 인생의 6~7할쯤의 예지叡智와 같은 통계이니 참고할 만하며, 3~4할은 스스로의 목적과 의지와 실천에 따라 변수를 얻으리라고 성현聖賢 공자께서도 말했다.

어떤 인생도 오직 한 번뿐이며 탄생시각은 이미 절대적이다. 탄생시각에 한 인생의 궤도족적이 비롯되기 때문이다. 다만 끊임없이 오고 가고 오는 시간과 변화하는 현실상황에 어떻게 반응하는가, 그 심상心相에 따라 운명의 방향을 운용할 수 있는 것이다. 운명은 절대적인 것이 아니라 주체자의 마음에 따라 얼마든지 변할 수 있는 것이다. 나아가 변용할 수 있는 것이다.

인생은 창조예술이다. 그 사람마다 오직 그 사람 인생을 창작한다. 그러니 자기의 달란트를 먼저 알고, 사람들이라는 산과 강=세상을 헤쳐 가는 것이다. 아무리 좋은 씨앗도 물한 방울 없는 자갈밭이나 잡초밭에 심으면 종자노릇을 못한다.

죽음을 바라보는 나이쯤 되니 겨우 인생에 철이 든다고 할까. 인간이 어떤 존재이고 인생이 무엇인가, 눈치 챌 만하다. 앞사람은 후대에게 인생의 길잡이노릇, 사람노릇을 잘해야 한다. 다음사람은 이미 난 길을 따라 걷기 마련이므로.

왜 여성만 갖고 그래요?

"왜 여성만 갖고 그래요?" 버럭 소리치고 싶다.

한국보건사회연구위의 '제13차인구포럼' 보고서(원종욱 선임연구원)는 한탄스럽다. 인구증가와 직결되는 출산이 저하된 이유는 숫제 여성 탓이라는 보고서다.

여성이 휴학 또는 해외연수로 불필요(불필요하다니요?)한 스펙을 쌓으면 채용에 불리하게 하기, 반려가 될 남성을 여성의 능력보다 하향 선택하여 결혼하도록 '문화적 콘텐츠 만들기' 등등 정책을 시행해야 한다는 것이다. 고학력 고高스펙의 여성이 저출산의 원인이라는 것이다. 아니, 여성을 무슨 '애 낳는 기계' 쯤으로 취급한다는 것인가?

한국인은 결혼에 목숨 거는, 나아가 아들출산에 목숨 거는 민족이었다. 그러나 20세기 후반부터는 남녀 공히 교육 받고 개인능력에 따라 사회적 경제적 생활을 하며 개인 곧 인간의 존엄성과 권리를 인정하며 사는 세상이다. 여성비하는 있어서도 안 되고 있을 수 없다.

50세 시점의 생애이혼율은 여성 2.8%, 남성은 5.8% (2010년 통계)다. 미국은 여성 17%, 남성 23% (2012년 통계)로 거의 모든 국가에서 남성의 이혼율이 훨씬 높다. 게다가 결혼한 여성은 대부분 아이를 출산한다. 게다가 육아는 거의 여성이 담당하고 있다. 툭하면 저출산의 원인을 여성에게 책임전가해선 결코 안 된다.

1970년대 초. 내가 아기를 출산할 때였다. 정부 주도로 저출산, 단산斷産을 장려했다. 정부는 〈딸 아들 구별 말고 둘만 낳아 잘 기르자〉 〈덮어놓고 낳다 보면 거지꼴 못 면한다〉며 가임기여성들에게 소위 리퍼스 루프Lippes Loop라는 피임장치를 자궁에 시술했다. 검증되지 않은 의학기술을 세계최초로 한국여성들에게 임상시술 했으며 그 부작용은 상당히 컸다. 한국여성들이 당한 고통과 후유증이 컸으나 추후 역학조사나 보상을 제도한 것이 없다. 국가가 빈곤하고 여성교육이 미급할 때 그 피해를 고스란히 여성이 당한 것이다.

"잘 살아 보세" 경제개발이 국가와 인간의 행복이고 목적인 양 몰아치며, 가난하므로, 먹이고 교육해서 길러야 할 2세는 부담스럽다고 낳지 못하게 했다. 자녀가 한 명이면 지성인, 둘이면 문화인, 셋 이상이면 미개인이라고 놀리기도 했다. 그 뿌리는 깊게 내려져서 '자녀 둘에 단산'은 일반화 되고, '잘 산다'는 의미는 오직 경제적 풍요를 의미하게 되었다. 인간의 존엄성과 문화철학적 풍요를 누리는 인생이 '잘 산' 인생임을 무시하는 시대를 건너왔다.

나의 딸애는 남녀성비에서 여성이 절대로 적어지는 시기에 태어났다. 출산시기가 용띠, 말띠 해엔 여성태아는 낙태 당하기 일쑤였다. 1970년대를 통과하고서도 남아선호는 뿌리 깊게 잔재되어 있었다. 이게 여성에 대한, 정부와 남성과 구시대적 인간의 생각이고 행동이었다. 딸을 내리 낳아 딸 대여섯에 늦둥이 아들 하나인 가정도 부지기수였다. 여성 곧 어머니가 자식을 출산하건만, 남성우월주의시대의 그릇된 행태였다. 그 시대를 건너며 어머니들은 "너는 나처럼 살지 말아라!"며 딸의 교육을 아들교육과 차별하지 않았다. 사회적 능력을 길러서 독립된 인격으로 살 수 있도록 도왔다.

현재, 한국남녀 임금의 격차는 OECD평균의 2배. 고학력, 고소득, 고지성高知性의 여성들이 결혼을 기피할 수밖에 없고 기피하고 있다. 결혼에는 온갖 불합리한 압박과 불안요소가 숨어있음을 알기 때문이다. 이런 환경에서는 불행한 결혼이 즐비할 수밖에 없다. 이혼률이 미국과 버금가게 되었다. 과학문명과 문화, 생활방식이 변하고 남녀 공히 인간일 권리를 교육받은 시대이건만 한국남성의 사고만 구태의연하다 못해 여성비하나 여성멸시의 사고를 가졌다면 잘못이지 않은가.

결혼이 필수라는 낡은 제도나 사고방식에 얽매지 않아도, 혼자, 자기구현 또는 자아성취를 하며 살 수 있다. 여성이 부당하고 곤고한 대접을 받으며 출산과 자녀양육, 가정살림이라는 그 책임만 무겁게 질 까닭이 없다. 세계2차대전 후 여성의 교육기회와 경제적 사회적 참여활동과 여성능력이 확장되어왔다. 남녀성별과 무관하게 여성도 인간으로서 동등한 인권을 가지며 개인으로서 독립된 인격과 능력을 인정하는 것이다.

여성은 정부와 사회와 가정으로부터 부당한 대우를 받으면서까지 결혼하여 출산해야 한다고 생각하지 않는다. 남녀는 공존 공생해야 할, 세상에서 가장 아름다운 관계임을 깨달아야 한다. 이 땅에 다문화가정이 왜 이리 많이 생겼는가? 이 일로 인해 이삼십 년 후엔 어떤 의외의 일이 빈번히 발생하게 될지?

남성과 여성은 성구별일 뿐 인격이나 능력의 차별을 의미하지 않는다. 그런데도 남성을 여성의 우위존재라고 여기는 미개한 사고로, 고등교육을 많이 받고 특히 경제적 능력이 높은 여성을 부담스러워한다. 남성과 여성은 마주 보며 돌진하여 부닥치는 관계가 아니라, 나란히 손에 손을 잡고 앞을 보며 미래를 위해 동반성장해야 하는 관계다. 여러모로 각성하고 사고를 재정비해야 한다.

지금은 21세기. 생활과 학문과 인권이 엄청난 변화를 겪으며 성장해왔다. 그런데 한국 남성의 사고는 여전히 씨받이 시대에 혹은 그 지리멸렬한 사고에 답습되어 있는 듯하다.

여성은 출산기계가 아니다. 인격을 존중하고 서로 신뢰하고 사랑하며, 함께 미래를 향해 나란히 걸어갈 가정을 꾸려갈 인생의 동행이다. 여성은 남성의 가장 소중한 동반자다. 인류를 존속시킬 소중한 존재다.

남자들의 천국

대한민국에서 여성으로 산다는 것은 50% 이하의 삶이라고 한다. 남녀 공히 중등학부까지 열린 국가인데도 말이다.

나의 부모는 1960년대 내내 딸 아들 6남매를 차별 없이 고등교육을 시켰다. 딸이 실내청소를 하면 아들은 장작을 패고 마당과 골목을 쓸었다. 딸과 며느리는 이삿짐을 구별하여 싸지만 무거워진 짐을 나르거나 못질하여 액자를 거는 일은 아들 몫이었다. 할 수 있는 일이 다를 뿐 협력 공생했다. 대학을 다니는 동안에 남학생에게 차별받은 기억이 거의 없다.

문제는 결혼을 하고 사회생활을 하면서 발생했다. 육아와 대식구 살림과 집안의 잔심부름까지 여자의 몫이었다. 남자남편은 저 가을논 가운데 허수아비 꼴이었다. 아내여자가 온갖 잡동사니일 치다꺼리에 지쳐 병들어갈 적에 남자남편은 직업과 대인관계라는 변명 아래 밤에는 주색잡기가 공개적으로 허용된 사회였다.

딸애세대는 이런 비인간적 환경에서 탈피되길 간절히 바랐다.

1990년대 초 어느 여름날. 영화동아리 남녀학생들이 우리 집에 놀러왔다. 다과를 나누며 한 남학생이 일렀다. "어머니, 00는 교수님이나 남학생선배에게 절대 술을 안 따라줘요. 그건 예의가 아니죠? 좀 혼내주세요." 라고.

"너희는 대등한 대학생이야. 여학생이니까 교수나 선배남학생에게 왜 술을 따라야 하지? 카페아가씨 취급인가? 너희 세대는 그러지 말아. 그리고 이담에 사랑하는 사람에게는 서로 따르겠지!"

"술은 장모가 따라도 여자가 따라야 맛이다."는 둥, "이왕이면 영계랑 마셔야 술맛 나지!"라며 태연히, 남자들은 동료나 같은 여성예술인에게 여성비하의 말을 하곤 했다. 여자를 치욕적인 명사 '영계(자라지 않은 중닭)'라고 헤벌쭉 부르며 그 허벅지나 엉덩이에 손을 오르락내리락하곤 했다. 불쾌하기 짝이 없고 천박해서 머리를 절레절레 흔들며 귀를 박박 문질렀다. 그런 류의 남자는 동네 수캐만도 못한 남자다. 남의 인격을 존중할 줄 모르는 몰지각한 남자일 뿐이다.

경제적 문명적으로 선진국이라 할 만한 우리나라는 유난히 '젠더폭력'이 비일비재하다. 성추행, 성언어폭력, 성희롱,

성폭력을 넘어 강간살인도 수시로 보도되고 있다. 끔찍하다. 여성이므로 불특정다수의 남자에게 폭력을 당하는 야만적 상황이 벌어지고 있는 것이다. 이따금 발설된다. "오죽하면 아마조네스가 존재했겠어!" 남자의 폭력성을 경험한 여성들이 남아를 출산하면 죽이고 여아만 양육하는 사회 아마조네스 말이다.

나는 형제자매 똑같이 인간의 존엄성을 존중하도록 배우며 인격권, 인간애, 인류애를 지향하는 정신교육 속에 성장했다. 그리고 2016년 현재 여학생의 73.5%, 남학생의 66.3%가 대학에 진학했다(교육통계연보). 교육 안에서 남녀능력은 평등하게 평가된다. 그러나 이 사회는 여전히 여성에게 불평등하다.

남녀임금격차는 OECD국가에서 1위(2,000년 이후 매년)로 여성임금은 남성임금의 64.1%다. 더 가소로운 건, 여성의 학력상승과 권익증진을 국가위기로 인식하는 점이다. 스펙이 좋은 여성에게 불이익을 주고, 하향결혼을 권장하고, 출산과 육아를 여성의 몫으로 하여 직장에서 불이익 주기를 권장하는 꼴이다. 이런 사회에서 여성은, '아이가 주는 행복감은 49% 정도'라는 열악한 조건에서 모성애를 강요하니, 차라리 '비혼'을 택한다는 것이다.

이상하고 지랄맞은 사회통계를 보자.

2015년 살인, 강도, 방화, 성폭력을 당한 강력범죄피해 자의 여성비중이 88.9%(대검찰청 통계), 그중 성폭력 피해자의 여성비중이 94.1%다. 불안을 넘어 공포스럽다. 대로를 걷다가도 힘이 실린 남자발자국 소리를 느끼면 흠칫할 때가 있다. "순간적으로 짜증나서."라거나 "내 앞을 여자가 재수 없게 지나가서." 또는 "옷차림이 맘에 안 들어서."라며 어떤 폭행이라도 당할까 봐 가슴이 섬뜩하고 벌렁거리는 것이다.

〈불꽃페미액션〉의 기자회견 제목이 잊히지 않는다. 애인을 살해한 가해자에게 집행유예를 선고한 의정부지방법원 앞에서 플래카드를 들었다.

여성살해가 집행유예면 판사도 공모자입니다

미투Me Too운동이 이런 사회를 바꿀 수 있기를 간절히 바란다. 그런데도 펑펑 울고 싶지 않을 수 없다.

난립난행亂立亂行 여성시대

    오랫동안 글짓기 또는 문학을 강의했다.

    초중등부 학생을 20여 년 가르칠 땐, 어린이들을 유식자나 각종 수상자受賞者가 아니라 사람답게 자라는 어린이이기를 바라며 갖가지 인문학을 가지고 함께 놀았다. 봄이면 쑥이랑 봄나물을 뜯고 여름엔 천변으로 나가 물풀, 작은 물고기와 놀기도 했다. 함께 요가와 미술놀이를 하고 연극 영화를 감상했다. 나는 육체기운이 약한 늙음에 들기 전에 선생 일을 멈췄다. 그때 그 어린이들은 자기의 길을 찾아서 '제각각 제대로' 살아가고 있다.

    1990년부터 여성을 대상으로 시와 수필 강의를 할 때, 단지 글을 어떻게 쓰는 거라고 강의하지 않았다. 30년 전에 여성은 부수적 사회인, 남성의 보조역쯤으로 취급되었다. '전주'라는 후진적 견해의 환경에서 살아가는 여성들의 자아성찰 또는 문화적 성장을 돕자고 용기를 냈다. 젊은, 청춘의 여성

기자들이 적극 권유했다. 또 불혹을 지나섰으므로, 각종 예술문화에 제법 식견을 가졌다고 자신할 때였다. 글을 쓸 동기를 생활에서 찾으며, 백 가지를 알아야 겨우 한 편의 글을 완성할 수 있으므로, 백 가지 경험하는 방법을 함께 공부했다. 그렇게 17년. 그들이 홀로 설 수 있게 되었을 때, 스스로, 홀로, 걸으라 했다.

그리고 지방에 가서 몇 년간, 배울 기회가 적은 나이든 사람들에게 소위 문학으로 안내하는 강의를 했다. 그들에게는 더 많은 발품과 손품이 들었다. 이미 두뇌와 심상이 노쇠한 데다 어설피 알면서도 아는 척을 더욱 잘했다. 더 넓고 높고 깊은 공부를 접하지 못하면 늙을수록 잘 아는 양 말이 많고 교만해진다는 걸 알았다. 공부하는 것도 때가 있는 법이다 하듯이, 가르치는 것도 그 때를 알아야 한다. 잎이 피지 않거나 단풍도 들지 않고 낙엽인 양 말라 떨어진다. 헛일 헛짓은 하는 게 아니다. 들을 줄 모르는 귀에 대고 이야기한들 무엇 하랴.

가르친다는 건 두 번 배우는 것이다. 교육자는 배우는 자보다 열 배의 새로운 지식을 공부해야만 마땅하다. 특히 40세 이후의 장년에게 문학교육을 하면서, 철학 종교 영화 과학 미술 자연 역사를 열심히 공부하여 그 엑기스를 걸러 수강생들의 두뇌와 가슴에 이식해주고 일깨우려고 노력했다. 그들이 각자의 언어를 품고 걸음마를 배운 후 서서히 손을 뗐다.

십년이면 겨우, 스스로 살 수 있는 뿌리가 내린다. 깃털이 완성되기 전에 날려는 새는 푸드덕푸드덕 둥지에서 퍼덕거리기만 할 뿐 창공으로 날지 못한다. 문제는 초발심初發心을 꾸준히 끌고 가는 일이고 그것은 각자의 몫이다. 강한 성찰의 지 또는 명예욕이 크면 이어질 것이다. 결국 자기그릇만큼 자라고 날 수 있는 것이다. 문학예술은 고독한 공부이고 외로운 작업이다.

무엇보다도 지천명을 넘긴 나는 부모에게 효를 다해야 할 때에 이르렀고 인생의 열매를 생각했다. 이순을 향하면서 더 이상 남의 잔심부름에 시간을 낭비할 수 없었다. 문사가 지천명에 이르면 홀로 고요히 추수문장에 힘쓰던 이유를 파악한 것이다. 못된 송아지는 엉덩이에 뿔이 난다고 했다. 남을 가르치기 좋아하는 사람치고 인격완성과 인생의미에 통한 사람이 드물다 했다. 점차로 나는 옛 선비들처럼 스스로 유배하기를 원했다. 고요하게 소요산책함은 무엇보다도 자기와 인생을 사색 사유하여 발효된 향미가 좋은 글을 짓게 하므로. 나는 그러고 싶었다.

나는 사회적으로 '돌아까지지' 못했다. 일부엔 특수한 촉을

틔웠으나 일부는 쑥맥이다. 한 쪽이 어린애 마음이며 순수하고 어리숙하여, 사회적 능력 넘치는 사람들에게 접근하기가 두렵다. 아직도 때에 맞게 제대로 배우지 못한 사람이나 그런 가정에서 성장한 사람이 항상 무섭다. 그들의 탐욕과 질투엔 절제가 없고, 인仁과 우애友愛로 성숙하는 관계 맺기가 어렵기 때문이다. 점점 인간의 관계를 축소하니 편안하다. 나이 들수록 속물근성의 사람과 속물사고를 떨치고 놀 수 있어서 즐겁다. 육체의 힘은 달려도 할 일엔 지혜로워지니 또한 즐겁다.

그런데 요즘 여성들은 인생을 거꾸로 사나 싶을 지경이다. 대한민국은 대학에 포원抱寃 가진 사람들 때문인지 나라 안 동네방네에 방송대학에 각종 사설대학, 사설대학원이 넘친다. 가르친다는 교수들은 제 인생을 가다듬고 정리할 나이에 무슨 염치로 남을 가르치려고만 앞장서는지 모르겠다. 그런 곳의 수강생 약 80% 이상이 나이든 여성이란다. 물론 교육자의 90%가 늙은 남성이란다. 남성과 차별교육으로 성장한 세대의 여성들이 짓누르고 짓눌려 살면서 갖지 못한 '자기언어'가 절실히 필요하다는 증거라고 분석했다. 유명인의 강의나 방송프로의 방청객, 글쓰기, 그림그리기, 노래하기, 시낭송, 심지어 타로나 사주공부까지 여성들이 판친다.

결국 오래 묵은 남자인생에게서 30년 50년 케케묵은 것들을 배우며 즐거워하고 있다. 하기야 케케묵은 이들 여성이 무엇을 어떻게 사유하여 디폴트맨(남자의 전형) 자리에 등극할 것인가. 사회의 주인도, 능력도, 일도, 권위도 80% 이상이 남성의 것이라는, 그 뿌리 깊은 사고방식을 인식하지도 못하는데 말이다. 한바탕의 장대비나 소낙비라면 그 비를 피하기라도 하든지 몽땅 젖어 새 옷으로 갈아입을 테지만, 겨우 이슬비 같으니 우산도 없이 간질간질 내리는 이슬비에 옷이 다 젖고 만다는 것이다. 오죽하면 여성의 적은 여성이라 했을꼬. 미투=Me Too, 위드유=With You의 적도 여성이라지 않은가.

여성들이 인간적으로 인격적으로 깨어났으면 좋겠다. 자기인격은 자기수양에 의해 성숙하며, 가정과 사회, 세계의 절반은 여성의 것이다. 지구의 지수화풍도 절반은 여성이 사용하고 있다. 나아가 아직까지는 인간의 생명은 여성 없이는 태어날 수 없다. 모든 인간은 여성의 태에서 출산된다. 잘못되고 어리석은 관념을 깨부수지 않으면 그 잘못되고 어리석은 관념이 자기의 감옥이 된다고 말한다. 말만으론 허공의 미세먼지나 마찬가지다. 두뇌와 가슴으로 인지 인식할 줄 모르면 아는 것도 없고 배운 것도 없는 거와 마찬가지다.

누가 숱한 여성들을 바보로 만드는가?

퉤 퉤 !

　어느 누가 잘나지 않았으리요! 영리하게 잘사는 사람들이 천지에 흔전만전하다!

　사람들은 온통 남의 판관노릇 하거나 가르치기를 좋아하지 싶다. 단 하나도 똑같은 인생사가 없는 것처럼 자기만 못한 이도 거의 없건만, 남의 일을 왈가왈부 시시콜콜 비판 재판한다. 제가 하는 것이 겨우 제 수준의 비난이거나 넘치는 정보 바다의 한 구석지에서 주워들은, 아나마나하고 말하나마나한 의견수준인데도 남에게 충언 조언하며 현자노릇을 한다. 말로서 말 많으니, 듣는 사람이 기막히고 속이 터질 지경이다.

　인생에는 크고 작은 불운과 실패가 잠복되어 있다. 나는 불운과 실패에 빠진 기분을 안다. 불운과 실패를 인생노정에서 경험했으므로. 인생공부 사람공부를 참 오래 하고 요지가지로 깊이 했으렷다.

　여러 가지 실패 중에 돈을 잃고 사람도 잃은 실패는 빌어먹을 경험이다. 돈은 천대할 것이 아닌 것이 생활의 필수품이기 때문이다. 하나 돈만큼 정신과 영혼을 타락시키는 것도 없다. 아무리 고상한 언설을 하고 성실을 위장해도, 돈에 꼬이면 인간은 야비하고 저질이 되기 때문이다. 참으로 다행히 이제껏 나는 빚진 죄인인 적이 없고 남의 밥 공밥을 얻어먹기 좋아하거나 구걸하는 동냥아치인 적도 없다. 부모님의 공덕과 가정훈육 덕택일 것이다.

그러나 빚을 준 죄인이란 말처럼, 채무자를 보기가 무섭다 못해 증오스러워지니, 어찌하랴. 어떤 채무자는 채권자인 나에게 빚을 갚기는커녕, 부정한 술수로 장인의 명칭을 따려고 부정한 짓을 하고 천박한 상술로 사람들을 이용해먹고도(그에겐 이런 천박한 표현이 딱 맞다.) 명사인 양 으스대고 나대니 외려 내가 '빚 준 죄인' 같다. 명사노릇 하고 사치하느라 잔머리 쓰느니, 진실로 전문적 공부를 위해 최선을 다한 사람이라면 얼마나 좋으랴만. 난관에 도왔으니 그 채무를 다하며 감사하기는커녕 뻔뻔하고 거짓되이 선한 사마리아인의 마음을 악용하는 사람이다. 여러 이웃이 그에게 사기당한 셈이다. 외려 세상에 대고 부끄럽고 병신이 된 건 빚을 준 나인 것이다.

사람은 어느 공간(지역이나 생활장소), 어떠한 마인드

=mind나 소울=soul, 어떤 시간에서 무슨 힘을 갖고 사는 가가 중요하다. 부정한 사회에서는 잔머리 잔꾀를 쓰며 작은 이익을 얻으며 성공한 양 살지만 결국은 실패한 인생이다. 수치를 수치인 줄 모르고, 잔꾀를 현명한 지혜로 착각한 어리석음으로 살았으므로. 잔머리로 좋은 이웃과 자기 인생을 토막 토막 잘라낸 것이다. 이런 사람은 겉보기가 화려해 보일지라도, 언사가 사탕발림되어 달착지근할지라도, 구멍 난 인격이고 남에게 해를 끼친 인생에 불과하다. 그 천박함을 누가 존경하겠는가. 성심誠心 성실誠實이 없는 명예나 성공에는 실소失笑와 실격失格이 생기기 마련이다. 아무리 위장하고 포장해도, 사람들은 결국 알맹이를 알아보는 것이다.

최근엔 명인名人이나 인간문화재人間文化財 칭호를 받은 사람에 부끄러운 자들이 종종 끼어있다. 돈 주고 명예를 산 셈이다. 뒷돈 주고 남의 실력을 차용하고, 거짓이력서를 만들고 심사자나 관계공무원과 친분을 지어, 인간문화재나 명인이라는 허명虛名을 갈취해낸 것이다. 그런 명인들을 이삼십 년 넘게 겪어본 사람이라면 도저히 신뢰할 수가 없는 것이다.

이런 부류의 어떤 한지공예가는 그야말로 명사가 되어 대표자로 나다니며 공무원의 후원을 잘도 얻어낸다. 한 번 얻어내면 그만이다는 걸 잘도 안다. 공무원은 계속 바뀌고 긁어부

스럼을 내면 안 된다고 대부분 눈먼 체하는 것이다. 신문마다 명인 명사로 포장되고 있는 걸 보면서, 빌어먹게도 썩은 세상이구나, 이웃들끼리 개탄을 한다. 왜 공무원들만 진짜 가짜를 구별하지 못할꼬! 문제는 그것이 습이 된 그 사람들은 결코 후회나 속죄 참회를 하지 않고 뻐기고 사는 그 점이다. 참 뿌리 깊은 적폐요 밑뿌리까지 상실된 양심良心이다.

진정성 없는 전문가나 예술가는 모두 사기詐欺 인생이다. 퉤! 퉤!

딸 같고 동료 같은 여성이 자살할 때

〈SBS연예대상〉에서 대상을 받은 아무개의 말이 덜미를 잡는다. "런닝맨에 출연한 구하라와 설리 씨가 하늘나라에서 하고 싶은 것 마음껏 하면서 편안하게 있었으면 좋겠다."라 는 것이다. 아름답고 전도양양한 청춘여성이 불안과 비애에 시달리다 자살하고 말았는데, '하늘나라에서 마음껏 편안하 게 있었으면 좋겠다.'고요? 참으로 허무맹랑하고 착하게 포 장된, 유아적인 입발림 아닌가. 일편 동료인데, 동료가 힘들 때 무슨 위로나 격려로 손잡아주고 다독거려준 적이 있는가, 묻고 싶었다. 선한 행동 없이 착한 말로—사실은 어리석고 유 치한 말로 뒷북치는 사람이 선량한가? 배우 최진실이 생각난 다. 그들에겐 시련고난에 손잡아 위로해 줄 인생의 선배나 동 료 한 사람도 없었다는 말인가?

성년의 인간은 한없이 나약하고 고독한 존재다. 자기를 스 스로 책임지고 감당한다는 것이 어찌 어렵지 않으랴. 인생길은 끝이 안 보이게 멀고, 살아가는 책무는 무겁고 지긋지긋할 때가 있는 법이다. 인생에서 흙냄새, 돌냄새, 물냄새, 나무 냄새, 사람다운 사람냄새만 풍긴다면 얼마나 좋으랴만! 사람이 득시글거리는 곳에선 똥냄새 악취가 나기 마련이다. 이것을 견디는 일이 어린 청춘여성들에게 얼마나 지독한 괴로움이었을까.

'구하라'는 걸그룹 '카라'를 케이팝의 정점에 오르게 한 대형스타다. 카라는 2010년대 초, 일본의 최대공연장인 '도쿄돔'에 최초로 입성한 한국걸그룹의 대표자였다.

'구하라'는 만능예인. TV에서 보여주는 운동력, 집중력, 화술, 끈기는 시청자들로 하여금 그에게 집중하게 했다. 그는 늘 솔직하고 허심탄회했다. 건강하고 활기차고 능력 있고 노력하는 연예인이었다.

재수 없게끔('구하라'뿐만 아니라 모든 여성에게, 재수 더럽게 없다) 데이트 폭력사건이 일어났다. 헤어아티스트(아티스트라니? 그냥 미용종사자다)라는 '최종범'의 야비한 장난질에 의해서다. 미용종사자 최씨는 연예인 구하라, 여성인 구하라에게 치명적인 공격을 했다. 신문방송이 떠들썩해지자, 아아, 또 한 젊은 예술예능인 여성이 자살하겠구나 싶어 걱정했다. 구하라의 괴로움과 슬픔이 이심전심되고 심중에 비애의 우물이 파이고, 야비하고 천박한 남성에 대해 분노가 치밀었다. 그 야비한 동영상을 2차구매하고 2차발언을 하는 일이 번지자 여성인 나는 최종범에 대한 분노와 구하라에 대한 근심이 깊어갔다. 결국 구하라는 자살하고 말았다.

성범죄에 있어서, 이 땅의 사법부나 남성노년은 남성범죄자에게 대단히 너그럽다. 여성피해자의 정신적 피해에 무관심하며 남성의 저질 성관념에 대해선 '남자가 그럴 수 있다'며 너그러운 것이다. 여성피해자를 보호하지 못하는 수사기관 사법기관에도 분노한다. 그것은 비열한 동질의식으로 또 다른 여성폭력이다. 부디 그런 남자에겐 아내도 딸도 없기를 바란다.

'구하라' 이전에 여성피해자가 있었다. 설리(=최진리)다. 2014년 악성댓글과 가공된 허위소문에 극도로 시달려 심신이 지쳐 연예활동을 중단하기도 했다. 그는 연예인이기 전에 인권과 인격이 있는 한 인간이다. 어쩌자고 폭탄 총탄 같은 인신공격을 무차별적으로 당해야 하는가? '빈총도 맞으면 아프다'지 않은가! 우리의 시민의식은, 인권의식은 왜 이리 저질인가?

연예인은 특별한 능력으로 노동하는 직업인이다. 어떤 세상이든지 사람은 능력의 대가를 먹고 살아간다. 가수이자 연예인인 설리는 활발히 활동하는 능력가였다. 그가 왜 SNS에서 인격모독적인 악플에 시달려야 하는가. 그냥 대중인 주제에, 싫으면 보지 않으면 되지, 왜 남의 가슴에 칼을 꽂는 죄를 저지르는가. 시청자는 무뢰한이어도 되는가? 예능노동에 대한 정당한 비판이 아니라 무지막지하고 무례한 악담에 불과하다. 연예인에게 악플에 대한 보호법이 없어 안타깝다. 그 언어사용 수준에 통탄한다. 악플=악성 댓글을 즐기는 자에게 화 있을진저.

설리는 11세에 드라마 〈서동요〉에서 아역배우로 연예인이 되고, 중학교 3학년생일 때 걸그룹 에프엑스f(x)로 가요계에 등단했다. 천재예인 아닌가. 그런 설리를 어린이로, 소년으로, 성인으로의 인권을 누가 지켜주었는가? 누가 지켜줘야 하는가? 어린 연예인일수록 사회에서 고립된다. 그들의 정신건강 마음건강을 위해 주기적인 검진이 필요하건만 우리나라는 방치상태나 마찬가지다. 아직도 '장자연'의 자살사건의 법정비화를 분노로 지켜보는 상황에서 '설리'가 자살하고 베르테르효과처럼 '구하라'가 연거푸 자살했다. 우리의 미래인 청춘들을 누가 지켜줘야 하는가? 어찌하여 기성세대는 그들을 이용 또는 사용하다 못해 악용하여 사업을 하면서도 그들을 정상적으로 성장 성숙하도록 돌보고 지켜주지 않는가.

자유가 아니라 방종이 판치는 대한민국은 OECD국가 중 자살률 1위인 나라다. '설리'는 공황장애와 대인기피증을 앓았다. 이 질병이 그들의 죄인가? 그들은 입에 담기 수치스럽고 혐오스런 인격모독의 악플에 왜, 왜, 시달려야 했는가? 악플러들은 어찌해서 범죄를 추궁당하지 않는가? 연예인 덕에 일상의 여가를 즐기고 휴식하는 주제에 무슨 자격으로 악플을 남발하는가? 괜스레 연예인을 혐오하는 악플러는 성격 파탄자=위험분자일 수 있다.

장자연의 자살은, 젊은 여성에게 가해진 성폭력이 수치스럽고 모욕적이다 못해 자기혐오가 생기고 그 저주스런 수치감에 얼굴 내놓고 활발히 살 수 없어 택한 죽음이다. 그 가해자는 권력 덕분인지 무죄가 되었다만, 예전의 힌두교법에서처럼 죗값을 치르라 하고 싶다.

여성을 성노리개로 삼는 그런 아들을 기른 어머니는 어떤 여자일까? 그런 남자의 아내는 어떤 여자일까? 그런 남자의 딸은 어떤 여자일까? 그들은 사회에서 어떤 대접을 받기를 소원할까? 아름답고 젊고 능력 있는 보물 같은 여성들이 자살하는 나라가 행복한 나라일 수 있을까? 여성 없이는 절대로 인간의 미래가 없다는 걸 생각하지 못하는가?

비록 청춘여성들이 자살했다고 말할지라도, 그것은 어리

석은 남성들과 악플러가 살인한 것이다. 어리석음이 큰 죄악
이다.

'한국영화성평등센터 든든'이 든든하기를

대학을 졸업한 지 반세기. 무서울 정도로 사회는 변했다.

짚불과 장작불이 연탄불로 변한 후 석유곤로와 가스로 바꾸더니 현재는 거의 모든 취사기기가 전기사용화로 변화됐다. 내 몸이 점점 느려지는데 사용기기들은 속도전을 하고 있다. 아날로그생활이 디지털생활로 변했다. 이리 변화무쌍한 세상에서 불변하거나 더 후퇴되는 사항이 있다. 남성이 여성에게 얼마나 폭력적이고 비인격적인가 하는 것이다.

자기를 이 세상에 존재케 해준 어머니의 성性인 여성을 성유희, 성폭력 대상으로 삼는 비인격적 행동을 직종과 나이에 관계없이 저지르는 일이 비일비재하게 목도되고 있다. 특히 몇십 년이라는 기나긴 인생길을 가야 하는 젊은 여성들과, 정신박약이나 불구의 여성까지도 성노리개로 일삼는 족속들이 이 사회의 고위층 상류층이라는 게 더욱 수치스럽고 고통스럽다. 연구자들이 결론내기를, '7대원죄의 하나인 정염情炎'

의 세계 순위에 한국이 1위라고 보도했다.

1980년 말까지 한국영화에선 여성강간행태와 눈물과 고 난에 젖은 씨받이, 애첩과의 성유희 등등을 소재로 삼았다. 여성은 남성의 부수적인 물건 같았다. 여성을 거리의 꽃, 밤 의 꽃, 꺾어도 되는 꽃, 시들면 버려도 되는 꽃으로 비유했 다. 듣기 싫고 기막힌 옛말이 있다. "여자는 익은 나물 같아 서 아무나 집어먹는다."거나 "접시와 여자는 밖으로 돌리면 깨진다."고 마치 사물을 대하듯이 말했다.

참으로 이상한 일은 남녀 공히 교육이 평준화되었으며, 능 력은 남녀차이가 아니라 인간 개인의 능력차이란 점을 간과 하는 일이다. 가장 감성적이고 진취적인 부분이 문학예술, 영화 연극계 종사자들 아닌가.

문학과 연극계 황제로 대접받아온 고은 시인과 이윤택 연 극연출가의 노망행동은 젊어서부터였다. 기나긴 세월 동안 그들에게 무시당한 여성들은 얼마나 비감에 떨며 자신을 비하 하며, 인생길을 질퍽질퍽하게 걸었을까. 여성들의 인생을 꺾 어서 구정물에 적셔놓고도 그 남자들은, 자기의 사고와 행동 의 잘못을 인식하고 인격을 회복하기 위해 속죄해야 하건만 여전히 당당하게 허명을 누리고 있다. 어리석은 혹은 무지한 민중에 의해 인기를 얻고 성공했다고 생각할지 모르나, 더럽

게 더러운 실패작이다. 그들은 여성에 대한 성적性的 갑질이
얼마나 저질의 행위며 몰인격적인지, 저질의 성범죄자일 뿐
이라는 걸 못 느끼는 것 같다.

인간은 교육되는 존재다. 교육은 인간적이고 인격적으로
살게 하기 위해 실행되는 것이다.

그들에게서 모멸감 모욕감 굴욕감을 겪은 여성들은 얼마나
자신을 자책하며 변명하고 세상의 눈치를 보았을까. 자기가
싫어진 자기를 어떻게 견뎌냈을까. 즐거운 꿈을 갖고서 인생
을 끌고 오기 어려웠을 것이다.

세계적으로 성공한 재벌가의 총수 이건희의 여성행각을 보
고도 그를 자랑스레 존경하는 여성이 있을까? 한때 대권을
꿈꿔도 되는 정치적 유망주로 부상했던 남성 안희정은 형사
상 책임 이후가 어느 정도 난관이겠지만-왜냐하면 이 사회
는 남자의 성범죄에 대해 매우 관용적이니까- 여성 김지은은
긴긴 일생을 대부분 의기소침하고 포기하고 비난을 감수해야
할 수도 있다.

성폭력은 아름답고 희망에 찬 한국의 젊은 여성 장자연이
목숨을 버릴 만큼 치욕적이고 처절했다. 그 자살사건 뉴스를
지켜보며 어머니이며 딸을 기르는 여자인 고로 나는 몹시 슬
프고 분했다. 허나 10년 세월이 가도록 권좌에 있는 남자들

의 한때 성노리개로 묻혀버리고 있을 뿐이다. 그런 판에 '버닝썬 사건'은, 경제계를 주물럭대는 빌어먹을 남자들의 불건강한 성욕 때문에 벌어지고, 그 몰지각한 놀잇감과 희생양은 여전히 여성이잖은가! 이 사회의 남성이 여성에게 퍼붓는 갑질폭력이다.

김학의에게 묻는다. 너는 어떤 어머니에게서 태어나 인생을 얻었는가? 너의 아내와 딸에게는 어떤 인격을 부여하는가? 너의 딸은 어떤 남자에게 성폭력 성희롱을 당해도 행복하게 살 수 있겠는가? 나아가 모든 어머니의 아들, 아내의 남편, 딸의 아버지들에게도 똑같이 질문한다.

그동안 여성은 이웃여성이나 친지의 불미스런 일을 알고도 모른 척해야 했고, 일부 늙은 여성들은 심지어 폭력을 당한, 장래 창창한 여성을 오히려 멸시모욕하기도 했다. 여성은 사회의 약자가 아니며 멸시 천대 모멸 받아야 하는 성性이 아니다. 그런데도 뿌리 깊이 잘못된 여성비하인식의 관념을 뚫고 이 빌어먹을 사회현상을 변화시키기가 참 어렵다. 딸을 이 사회에서 길러낸 여성으로서 나는 오래 슬퍼하고 있다.

'버닝썬 사건'은 갈수록 험준한 태산을 넘어야 하는 듯이 숨을 답답하게 한다. 한국사회의 총체적 난관이며 수치를 어이하나. 수치스런 향락을 누리며 무뢰한 철면피가 되어가는 남편과 아버지를 어이하나. 통탄 비탄한다. 이런 사회상을 아프게 견디는 여성들에게 2세를 생산하라고? 무슨 의미와 기쁨으로 자녀를 생육하겠는가.

'버닝썬 사건'은 마약, 퇴폐적 환락, 성폭력의 온상이고, 검경조직과 권력가 재력가의 쾌락주의와 경제이권이 짝짝꿍한 그림이다. 이런 부도덕하고 범죄적인 쾌락주의자들을 활보하게 하는 대한민국을 진정 국민을 위한, 국민에 의한, 국민의 민주국가라고 하겠는가? 여성은 인권과 인격을 차별하는 존재가 아니라 단지 성이 구별되는 존재다. 이 잘 먹고 잘 배우고 잘 사는 나라에서 싸구려말밖에 할 수가 없다.

"이 썩은 사회에선 살아도 못 살겠다!"

다茶 다茶 다茶 이야기

　매화꽃잎이 하르르 하를 낙화한다. 꽃샘바람에 서늘한 몸짓으로 한 잔의 다茶를 우린다. 작년의 우전차를 천천히 우려낸 찻잔에 매화꽃 세 송이를 띄운다. 눈으로 먼저 매화차를 마시고 살포시 잔을 들어 코 아래 두고 흠향한다. 서서히 매심梅心이 우러난다. 한 모금 음미한다.

　차는 벗이 함께해도 좋지만 홀로 마시면 정淨하다. 시인은 본디 자연과 자신에게 귀를 기울이는 자이지 않은가. 차 한 모금을 입술 안에 머금고 먼 차밭에 거니는 나를 들여다본다. 매화 만발한 저만치서 나를 응시하면서 나는 매화처럼 살았는가, 들여다본다.

　어려서부터 차를 마셨다. 날이 선득선득해지면 찻잎은 따듯한 물과 함께 언제나 준비되었고 쉽고 간편하게 차를 즐겼다. 젊은 새댁시절엔 작은 찻잔 대신에 대통 모양의 머그에 찻잎을 넣고 천천히 마셨다.

그런데 1990년대에 들어 다도茶道라는 것이 번지더니, 규방다례라는 형식을 호사스럽게 교육시키더니 외형적으로 수선스럽고 사치스러워졌다. 본디 다도란, 차맛과 계절에 맞는 방식과 예의를 아는 것이랄까. 가장 중요한 다도와 다의 가치는 사람이나 직업에 따라서도 다르다. 우리것은 온통 장사꾼의 다도만 돌아다닌다.

1990년 후반에 중국 베이징의 찻집 '노사다관'에서 온종일 차를 마시며 책을 읽은 적도 여러 차례였다. 그곳에서 사람과 직업에 따라서 차의 풍미風味와 다향茶香을 평가하는 시적 문구 50여 주련을 읽었다. 농부와 공무원이나 교육자의 등급이 다르고 상인과 작가나 시인의 견해가 달랐으나, 역시 최고의 차는 시인이 알아주는 차의 맛이었다. 평차사(차의 등급을 매기는 사람)가 있는 중국차문화와 비교하면, 우리 차문화는 허례와 얼치기망둥이가 폴짝거리는 꼴이다.

근래 들어 성업하던 전통찻집이 사라졌다. 장사가 안 된다는 것이다. 그런데 다도사茶道師와 다도회가 부지기수다. 차인들이 차를 따러 몰려다니며 나름대로 차덖기를 하는 바람에 일정한 차맛이나 다제품의 표준이 없어졌다. 따라서 한국의 다도엔 역사가 존속될 수도 없고, 한국만의 차맛 차향을 개발 보존할 수도 없다. 그러하니 아무 집에서나 내놓는 숭늉

맛처럼 그냥 그런 차맛이 된 것이다.

뱃속이나 가슴이 갑갑할 때 나는 발효차인 중국산 보이차를 머그에 우려 마신다. 컴퓨터를 탁탁거리면서도 마시고 꽃밭가에서 오늘에 핀 꽃을 찬찬히 바라보면서도 마신다. 나는 생활방식에 편하게 차를 들고 다니며 마신다. 차가 흔해졌건만 국산 발효차를 마셔보진 못했다.

오랫동안 차를 즐겨온 후배는 구입하고 선물 받고 요지가지 다량의 차를 들이다 보니, 해묵은 차가 늘어났더란다. 대부분의 견해처럼 그도 햇차를 좋아했다. 그러다가 마시다 만 묵은 차가 쌓였다. 식견도 없이 호불호도 없이, 비싸면 고품질이라 믿고 덜렁덜렁 사들인 차를 버리자니 아깝지 않겠는가. 그는 오래 묵은 차들을 질항아리에 눌러 담고 구석지에 보관했다. 잊힌 듯이 지나다가 수년 만에 문득 생각이 나서 차를 우렸다. 얼씨구, 차맛이 은근하고 보이차 사촌쯤 되더란다! 그 내용을 듣고 가만있을 수 없지. 뜯은 채 십년 남짓 묵은 차들을 나도 이쁜 질항아리에 묵히고 있다.

차문화 차예절에 대해서 의견이 제각각일 뿐, 진정한 차예사나 평차사를 들어보지도 만나보지도 못했다. 차맛과 다례예절의 의미를 모르면서 아무데서나 옷 차려입고 다색이 나는 물을 따루는 행위는 다도라기보다 행사손님의 접대행위일 뿐이다.

보이차를 알고 마시기 시작한 것은 1996년, 딸애의 베이징유학 덕분이다. 차를 두루 알고 난 후에 보이차를 대하라 했던가. 보이차는 공부하며 마시는 차라고 하는데…… . 전주영화제에 초빙되어 오신 베이징대학 교수분들께 보이차에 대해 질문했다. 한국인 덕에 가짜가 개발되고 값은 천정부지로 비싸졌다며 웃으신다. 몇 백 년 전 보이차가 무슨 수로 남아 있겠냐다. 찻잔의 사치가 차맛에 무슨 필요냐다. 하하하하 하하하. 상놈이 갓 쓰면 말 타고 싶어한다더라만!

내사 보이차건 황차건 매화송이 띄워 매화시를 읊으며 마시거나 독서를 하며 다 식은 차를 홀짝 한 입 입가심을 한다. 차는 본디 몸과 마음을 이완시키고 자정시키기 위한 음료다.

초의선사를 우리 다도의 시초로 삼는 것도 좋고, 선방다례 禪房茶禮가 먼저 번졌다고 인정하는 것도 좋다. 차 마시는 행위가 조촐하고 정갈하고 조용하지 않은가.

꽃샘바람에 흔들리는, 매화송이 띄운 차맛이 개운하다. 참 좋다.

인터뷰

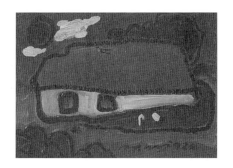

김용옥 원로수필가 대담

〈전북수필문학회〉

대담자; 신영규 수필가

- 선생님! 안녕하십니까? 오랜만입니다. 요즘 건강은 어떻고,
어떻게 지내십니까?

▶ 나이(칠순)만큼 건강하게, 나이만큼 철이 들어 지혜로이 지
냅니다. 소요산책 하며 인생과 관계를 하나둘씩 정리하고 삶
을 줄이고 있어요.

- 전북수필에 '원로수필가 대담' 난을 신설하여 그간 아홉 명을
인터뷰했고, 이제 선생님이 열 번째입니다. 어떤 질문을 해
야 할지 조심스럽네요. 질문의 요지는 상대의 성향에 따라 다
릅니다. 우선 선생님은 올해로 문단 데뷔 몇 년 되셨습니까?
데뷔 이후의 활동사항을 말씀해 주십시오.

▶ 올해에 꼭 40년째군요. 70년대 초반에 전북일보 '광장'에
칼럼을 쓰기도 했지만 1977년, 전북여성백일장에서 장원을
하고 전북여성문학 동아리 '글벗'을 작명하고 창립했지요.

그후 고하古河 최승범 선생님 추천으로 〈전북문학〉에 시를

발표하면서 1980년 전북문인협회에 입회했죠. 당시 여성문인은 김옥생, 원영애, 목경희, 김순영, 김정희(김시원) 선생이 계셨어요. 선배들께 참 많은 사랑을 받았지요.

고하古河 선생님 권유로 신문, 회사사보, 신동아 등등에 시와 산문을 발표했어요. 또 1980년 〈죽순〉에 시를 추천해 주셨지요.

그리고 수필은 한대석 수필가의 오랜 설득과 권유로 〈전북수필〉에 쓰기 시작했어요. 1975년에 만난 정덕룡 선생과 고하 선생님이 여러 차례 권하셨지만, 불혹이 되면 쓰겠다며 미뤘지요. 수필은 역시 장년이 되어야 도도한 내용과 글맛이 담기더라고요.

– 제가 언젠가 선생님의 부모님 얘길 들은 것 같아요. 집안은 어떤 집안이었고, 부모님은 어떤 분이셨는지요.

▶ 아버지는, 왜정 때 3대수재학교라고 하는 '이리농림학교' 출신으로(농림학교70년사에 기록되어 있음), 성공한 전북의 출향운동선수 1호(도체육회연구원장 이인철 선생 증언)라고 합니다. 일제강점기 말, 중앙청의 농림기사이자 국가대표 야구팀 코린Korin의 투수였습니다.

어머니는 김제 만경의 남평문씨 진사댁 여식으로 유벽운 진사 어른께 서도書道를 사사했습니다. 외숙부 두 분은 신흥

고보와 배제학당에 수학시키면서도, 우리 어머니는 여아라며 외유수학을 안 시키셨대요. 제가 고등학생때 작은외조부님에게서 가슴아프게 들은 얘기가 있어요. "순길이를 신식교육 안 시킨 것이 제일 후회되지!" 어머니는 끊임없이 공부하고 싶어 했대요.

광산김씨 가문으로 출가한 후 1958년, 국토건설부 초대로 서예초대전을 열었습니다. 내가 '이리국민학교' 4학년, 열 살 때였어요. 아버지는 진정한 예술애호가로 우리집은 어린 시절 내내 시인 묵객들의 카페였어요. 소전, 남정, 여산, 석당 선생은 단골이고 이따금 조두현, 이춘기, 장만영 선생도 주안상과 묵향, 벽에 줄줄이 걸린 글씨들과 함께 고담활론하시던 모습들이 멋졌어요. 그래서 제가 얻어들은 풍월이 좀 있어요. 홍석영(92세. 소설가. 전북문인 1호) 선생은 지금도 제 부모님과 주위분들의 얘기를 해주시죠.

- 선생님의 어린 시절이 궁금합니다. 소녀 김용옥은 어떤 성격이었나요. 그때와 지금의 성격차가 있나요?
▶ 비교적 정서적이고 부지런했어요. 대학때까진 책, 음악, 춤, 운동, 공연, 여행이 있는 가정에서 자랐으니까요. 인생은 아름답고 즐기는 거라고 배웠으니까요. 왜정 때 고모들이나, 언니 오빠들도 모두 고등교육을 받은 인테리이고, 지식을 가

장 중시한 집안 분위기였거든요.

한때, 시련 속에서 입 다물고 살았지요. 사람들은 남의 평가를 함부로 한다는 걸 알았으니까요. 그때에도 부모님이 숨통이었어요. 한 번도 내가 잘못했다거나 잘못 산다고 하지 않고 늘 믿어주셨어요. 어려서의 가정교육이 인생의 바탕이란 말을 절감하고 살죠!

– 선생님께서는 종교에 많은 관심을 가지고 있는 줄 압니다. 선생님의 종교와 종교관은 무엇인지요?
▶ 종교가 아니라 종교심을 갖고 살 것!

한국기독교연합회 초대회장 이진우 목사님께 헌화식으로 유아세례를 받고 어머니의 신실한 기독교 신앙 아래 성장했습니다. 일생의 추억에선 '이리성결교회'가 가장 아름다운 교회이죠. 그리고 불혹 무렵에 기독교회를 떠났습니다. 나와 내 인생에 대해 질문을 하면서 여러 가지 종교 종파의 서적을 참 많이 읽어댔지요. 각종 종교의 순례를 했어요. ㅎㅎㅎ

– 그렇군요. 오늘날 많은 종교가 난립하고 있지만 종교가 제 구실을 못하고 있습니다. 종교가 많아서 세상이 어지러운 건지, 세상이 어지러워서 종교가 많은 건지요?
▶ 다종교문화는 언제라도 존재했죠. 다만 현대엔 여타 종교에

대한 정보를 쉽게 알 수 있을 뿐이고, 종교권력과 종교정치에 혈안이 되어 종교로 인한 불화가 끊이지 않죠.

인쇄술의 발명 이후에 숱한 사람이 종교 철학의 지식인이 되어가고 종교의 해석도 달라져 왔죠. 종교란, 신을 머리 위 하늘에 얹어놓은 인간의 권력과 부가 아니지요.

종교란 인간을 인간답게, 인류애로 살도록 이끄는 최고의 가르침인데…… 인류역사상 종교가 인간을 가장 멸시 천대하고 가장 많이 학살하고 분쟁하게 했습니다. 이런 일은 종교권력, 종교정치가 저지른 짓입니다. 유식한 현시대에도 종교권력의 하수인이 된 현대인이 즐비합니다.

— 그간 이 난을 통해서 원로수필가 몇 분을 대담했습니다. 사실 말이 원로지, 문단은 일천한데 나이가 많다는 이유로 원로대접을 받으려는 사람들이 있습니다. 이 기회에 원로라는 개념 정리를 해야 할 것 같습니다. 제가 알기론 문단 10년은 신인, 20년은 중견, 30년은 중진, 40년 이상이 원로입니다. 그렇다면 전북수필 회원 중 원로대접을 받아야 하는 회원은 몇 명에 불과합니다. 이에 대한 선생님의 견해는 어떠신지요?

▶ 맞습니다. 인생에 철이 들어야 나잇값이 생기듯이 문단에도 문단나이가 있지요. 문력文力의 연한年限에 의해서 생기는 거지요. 등단 후, 강산도 변한다는 10년 세월을 열심히 창작

해야 겨우 문학의 뿌리가 생긴다고 하잖아요. 그런 거지요.

어떤 분은 수십 년 전 문학청년 시절에 시를 썼다며 원로대접을 받기 원하지만, 그건 아니라고 생각해요. 입학하고 몇십 년 휴학하였다가 동창회에 갔다고 해서 동창으로 인정하진 않지요. 그래서 등단하자 졸업이란 말이 있습니다.

이런 말이 있죠. 상놈은 나이가 대수고 진짜 양반은 덕망이 근본이라고요. 진정한 문사文士, 사백詞伯이란 쉽지 않지요.

- 선생님께선 시와 수필을 쓰고 계십니다. 선생님의 주 장르는 뭐고, 어떤 장르에 애착이 가는가요?

▶ 나이 들수록 수필에 진정성을 느낍니다. 아마 성품하고 닮나 봐요.

시는 참이며 문학의 본질이라고 생각해요. 짧아서 시라거나, 감정의 쉬운 나열이 시라고는 절대로 인정하지 않아요. 게다가 수필 한 편 잘라놓으면 열 편의 시가 되나요? 하하하. 쓸수록 에피그램이 되는 진리와 진실의 시를 쓰기가 어렵습니다.

불혹부터 수필을 쓰기 시작했어요. 지知와 예藝를 살찌우며 오래 기다려온 거죠. 소설, 시, 음악과 미술, 영화, 고전과 종교 철학을 열심히 들쑤시며 자양분을 쟁였지요. 독일, 러시아 문학을 특히 좋아했어요. 독일 독자에겐 수필이 최고

의 문학이라고 합니다. 역시 철학과 사색의 나라답지요. 나
는 뼈대 없이 시시콜콜한 일상사의 산문을 쓰거나 읽고 싶지
않아요.

- 선생님은 문학 외 정치, 사회적인 문제에도 관심을 가진 것으
로 압니다. 주로 어떤 문제에 관심이 있나요?
▶ 세계의 인간사지요! 특히 인격, 신념, 자연, 자유혼을 가진
훌륭한 인생의 파란곡절에 깊이 천착합니다. 이 땅의 정치 사
회 역사를 돌아보며, 지난 1년간 인터넷신문 '신한국문화신
문'에서 '김용옥의 세상 톺아보기' 난을 마련해주어서 그런 수
필을 연재했습니다. 마음이 굉장히 힘들었지만 독자가 많았
습니다. 최순실게이트에 절망하고 분노하고 비참해하면서,
세월호사건, 5·18얘기, 4·3사건, 만델라와 신해철, 백남기
추모글 등등 쓰면서 많이 아팠지요.
　문인이 진정 지성인이라면 사회적 정치적 수필을 써야 한
다고 생각해요. 그게 현재의 생활이고 삶이니까요. 우리 문
단엔 음풍영월이 90% 이상이라 해도 과언이 아닐 겁니다.

- 문학 못지않게 사회문제도 중요합니다. 사회가 발전을 거듭
하다 보니 때론 구성원들 사이에 갈등이 심합니다. 한마디로
이 시대는 인간성을 상실한 시대입니다. 도덕은 땅에 떨어지

고 사람들은 돈만을 최고의 가치로 알고 부끄러운 줄 모르고 탐욕에 빠져있으며 지구를 더럽혀 다른 생명체들을 죽이고 있습니다. 이리된 원인은 무엇이고, 해결 방법은 없는지, 또 이에 대한 문인들의 역할이 있다면 무엇인지요?

▶ 저급한 욕망 때문이지요. 개인이기주의, 자국이기주의의 지구촌입니다. 인간과 인생에 대해 깨달을수록 겸손해지고 감사할 줄 알아야 하건만, 현대인은 지구와 타인에 대해 기고만장하고 있습니다. 종교적으로 말하면, 탐진치를 버리지 않으면 공존공생이란 참으로 어렵지요. 문단에도 이기심과 탐욕이 수레바퀴처럼 맞물려 돌아가고 있어요. 답습이 되어 부끄러운 줄도 모르는 것 같아요. 내가 행복하게 살려면 우리가 더불어 사람답게 살고자 하는 정신을 가져야겠지요.

문인들의 역할요? 하하핫. 그들도 말짱 개인이기주의에 부푼 소시민일 뿐인 걸요 뭐. 일찍이 현자들이 말하길, 사유가 없는 사회는 죽어가는 사회라고 했습니다. 사유 없는 시문이 판치고 사유하지 않는 문인이 활개 치니 원. 같은 물에서 헤엄치기가 힘들지요.

– 이제 문학에 관한 질문을 할까 합니다. 글은 언제부터 어떤 동기로 쓰게 되었나요?

▶ 가장 흔한 질문이고 어리숙한 질문이지만, 그래도 한번 생각

해 보겠습니다.

세상에서 가장 듣기 좋은 소리는 자녀의 글 읽는 소리라고 들으며 자랐죠.

중학교 1학년생도 때, 대학생 큰언니를 따라 셰스피어의 『햄릿』 연극을 서울의 국립극장에서 보았어요. 그후 아버지가 셰스피어전집을 사주셨지요. 지금도 보물처럼 간직하고 있어요. 셰스피어의 소네트와 희곡을 탐독하며 명구 명언을 받아쓰기 시작했어요.

고등학교 1학년 때, 대학생 오빠가 선물해준 니체를 읽으며, 절망과 함께 독서광이 되기 시작했어요. 마치 니체가 이미 모든 말을 한 것 같아서 이담에 나는 무얼 쓰나? 하고 깜냥에 심각했다니까요. ㅎㅎㅎ

또 시집을 닥치는 대로 읽으며 맘에 걸리는 시를 한 편 한 편 베껴 100편짜리 열 권의 시집을 만들어 외기도 했지요.

게다가 어머니의 휘필 속에 한시漢詩 글귀를 읊으며 그 언어를 음미하는 맛을 터득했지요. 이것들이 내 시와 수필의 자양분이죠.

대학시절부터 단편소설에 열중하기도 했어요. 숱하게 읽은 작품들보다 나을 게 없으면 쓸 필요도 가치도 없다는 생각에 포기했다고 할까요. 게다가 아이를 출산하고는, 육아가 새로운 '대하소설'을 생산하는 일이라고 생각했어요. 슬프고 외롭고 괴로웠어요. 자기를 포기하는 일이었으니까요.

– 선생님의 작가관은 무엇인지요?

▶ 문학은 모든 예술의 기본이며 총화입니다. 읽지 않으면–특히 동서양의 고전과 철학, 종교서적을 읽지 않고는 생각하는 능력이 초라하고 열악해요. 인생관과 시학이 없는 문학 또는 예술은 예술이 아니지요. 시인과 작가는 자기 이야기를 쓰는 게 아니라 자기를 빌미로 인간과 인생을 사유한 결과를 미학적으로 표현하는 예술가니까요. 시를 색으로 그리는 사람은 화가요, 시를 가락으로 풀면 음악이요, 문학을 몸짓으로 구현하면 춤이지요.

문학을 하는 사람은 '시학'을 먼저 읽어 새기고, 끊임없이 새로운 책을 읽어야지요. 음악 미술 과학 연극영화 종교학 사회학을 알아야죠. 아는 만큼 보이고 쓸 수 있으니까요. 문학의 씨알인 어휘가 다양하면, 내용을 이해하지 못하는 시인 수필가가 많지요. 다른 분야의 예술을 알지 못하는 건 반찬 없는 밥상, 매 끼니 똑같은 밥상을 차려내는 거나 마찬가지죠.

– 작가로서 사명감이라고 할까, 자신이 제일 중시하는 부문은 무엇입니까?

▶ 시인으로, 작가로 바로 서려면 아름답고 풍부한 모국어를 제

대로 알고 써야죠. 어휘의 다양성, 언어미학과 운율, 새 시대에 맞는 실험성에 천착합니다. 특히 수필의 미학과 철학을 탐구합니다. 철든 사람의 문학이라면 깊이가 있어야지 않겠어요? 사유의 결구 한 마디의 문장 없는 시문은 잡담 잡글이라고 생각해요. 아직도 부단히 공부하는 이유죠.

– 글은 아무나 쓸 수 있습니다. 다만 좋은 글을 쓸 수 있는 사람은 그리 많지 않습니다. 좋은 글을 쓸 수 있는 건 그 사람의 능력이고, 노력입니다. 물론 노력한다고 다 되는 것도 아닙니다. 원래 타고난 재능이 있어야 합니다. 그런데 요즘엔 뜻이 있으면 누구나 시인이 되고 수필가가 됩니다. 과연 시인 천국, 수필가 세상, 문인 천국입니다. 이를 어떻게 받아들여야 할까요?

▶ 누구에게나 자기의 인생이 제일 소중하며, 자기 목소리를 갖는 건 좋은 일이지요. 그리고 한글은 정말로 쓰기 쉬운 문자입니다. 그러니 한국은 문맹이 거의 없는 유일한 나라지요. 누구나 쓰기는 쉽지만, 문학적 수준 높게 '잘 쓰기'란 정말 어렵지요.

　문제는, 이들이 시인 작가라는 이름을 무슨 명예나 벼슬처럼 여기며 들썩거리는 일이죠. 진정 문사文士 혹은 문인이 어떤 존재인지에 대한 공부가 덜 되어 으스대는 꼴이지요. 말글

익혀도 홉글도 못쓴다 했는데…..초등학교 공부가 쉽지 대학 공부는 어렵지요……하물며 문사 되기는 박사 되기보다 어렵습니다. 그런데 들자 하니, 문인장사 덕분에 문인이 걸리적거릴 정도로 흔하다네요. ㅉㅉㅉ. 문인장사가 문단을 천박하게 만들었지요, 뭐.

– 흔히 수필을 '체험의 문학'이라고 합니다. 자기가 경험한 것을 토대로 글을 쓴다고 할 때, 이런 수필을 '생활수필'이라고 합니다. 생활수필은 일상에서 소재를 얻어 쓴 것들이 주류를 이룹니다. 그러다 보니 일부 사람들이 쓴 수필은 문학성이 없는 '신변잡기'라는 비판을 받기도 합니다. 어떤 사람은 신문기사나 통계를 인용해서 글을 쓰기도 하고, 또 어떤 사람은 남편이나 자식자랑을 늘어놓기도 합니다. 이런 글은 그야말로 잡문입니다. 잡문이 아닌 좋은 수필을 쓰도록 노력해야 하는데, 우선 저부터 그렇지 못합니다. 좋은 수필을 쓰려면 어떻게 해야 하나요?

▶ 제일 쉬운 대답은 '잡학 공부'를 열심히 하라는 것. 다른 분야의 지식과 예술을 많이 알라는 것. 그래야 문학에서도 색깔이 나고 음률이 생기고 향기가 달라지죠. 그리고 현대는 전문가의 시대인데, 그 똑똑한 독자들이 건더기 없는 시나 수필을 읽겠습니까? 지성인에게 읽히는 문장이기를 바라야지요.

그리고 끼리끼리 조잘대는 동인지가 너무 많아요. 근대近 代에 열악한 환경에서 힘을 모아 간절하게 발간하던 동인지 가, 근래엔 우후죽순 아닙니까? 책을 저급하고 천하게 만드 는 요인이 되기도 합니다. 대중화의 단점이지요. 웃으면서 그러더군요. 동인지나 잡지들을 파지 줍는 아저씨에게 주면 좋아한다고.

음대생은 숱해도 음악가는 많지 않지요. 문학을 전공했어 도 문인이 아닌 사람이 대다수고요. 그런데도 시인과 수필가 는 홍수 난 지경이어요.

놀라운 건, 명색이 시인 작가들이 독서다운 독서를 별로 안 하는 것 같습디다.

– 요즘은 문학의 장르가 없다고 합니다. 수필가가 시와 소설과 칼럼을 쓰고, 시인이 수필과 소설과 희곡을 쓰기도 합니다. 가수 밥 딜런의 노벨문학상 수상에 논란은 있지만, 문학과 음 악의 경계를 허물었다는 평가도 있습니다. 이처럼, 요즘 문화 계에선 서로 다른 장르를 융합하는 바람이 불고 있습니다. 물 론 장르 하나로 여러 장르를 쓸 수 있는 건 자신의 능력입니 다. 이를 어떻게 생각하십니까?

▶ 문학이란 문사철의 통섭 아닐까요? 문학은 온갖 인생사의 통 섭이지요. 그리고 장르란 형식의 다름일 뿐이지요, 뭐.

능력이 닿으면 할 수 있지요. 괴테는 시인입니다. 그러나 최고의 걸작 소설『파우스트』를 썼지요. 헤르만 헤세 또한 시인이죠. 그는 불후의 소설『싯달타』『지와 사랑』『수레바퀴 밑에서』등과 장수필『데미안』을 썼죠. "새는 알을 까고 나온다"고 하는, 누구나 그냥 아는 말을 가장 적절한 문장으로, 철학적으로 쓰는 법을 알게 하고, 이중성의 신 아프락사스를 가르쳐준 명저지요. 그는 불교 철학에 심취한 시인이었죠.

선무당이 사람 잡으려는 게 문제지, 능력이 닿으면 할 수 있는 거죠.

작년도 노벨상 수상자 밥 딜런의 노랫말은 소위 유행가 가사가 아닙니다. 사상 철학이 있고 인류애가 있지요. 종교적이고 철학적인 인간의 비애가 있고요. 〈Knocking on heaven's door〉. '죽음이 곧 천국에 이름'을 깨닫게 하죠. 나는 지옥 같은 이승을 떠나는, 드디어 해탈에 이르는 각覺을 느꼈어요. 이런 깊은 철학적 시, 에피그램의 시를 딜런은 노래했어요. 노벨문학상은 철학 사상이 없는 너스레 글을 선택한 적이 없어요.

Pop Music의 전파는 엄청나지요. 특히 세계의 젊은이들이 그의 'knocking'에 녹크 되어 인간과 인생에 대해 사유와 철학을 하는 힘을 배우기를 나는 바랍니다. 멋진 일이었어요.

- 선생님은 시집도 출간했지만 여러 수필집도 내셨습니다. 그
  간 출간한 수필집 중에서 애착이 가는 수필집은 무엇입니까?
▶ 책마다 나 자신의 일부죠. 어느 건 내 얼굴이고, 어느 건 시
  대의 인식수준 때문에 썩은 속내고, 어느 건 할 일 맡은 팔다
  리의 모습이죠. 하하하.

  이래저래 시집 5권, 시선집 1권, 풀꽃그림 시집 1권, 수
  필집 10권, 수필선집 2권에, 망백화가 하반영 선생의 그림
  과 함께 화시집을 발간했지요. 보통의 시화집이 아니죠.

  그중에『관음108』은 심장의 관상동맥 시술 후 회복기에 산
  책하며 얻은 손바닥수필집입니다. 시대에 따라 수필도 다양
  할 필요를 느끼고, 마치 핫펜츠처럼 짧은 차림의 손바닥수필
  을 써보았지요. 잡지 〈수필세계〉에 3년간 연재한 글을 그곳
  에서 맺어줬어요. 그 책으로 정말 받고 싶었던 '구름카페문학
  상'을 수상했어요. 내 수필을 인정받은 셈이죠.

- 선생님은 어떤 수필을 선호합니까? 과연 대중의 시선을 사로
  잡을 수 있는 수필은 어떤 수필일까요? 물론 보는 이의 성향
  에 따라 다르겠지만.
▶ 사유와 작가의 명구가 있는 수필, 언어미학이 있는 수필, 시
  적 율격이 있는 수필, 실험성이 있는 수필, 잡학이 접목된 수
  필이 읽을 만하지요. 수필은 '불혹 이후의 문학'이라고 한 까

닭이 뭐겠어요. 이 나이에 맛있게 읽을 만한 수필이라면 격이 있어야겠지요.

– 선생님의 글이 타인의 글과 비교 평가할 때 무엇이 다르고, 무엇이 특색인가요?

▶ 형식의 자유로움과 기교, 언어의 리듬감, 소재의 다양성, 어휘의 풍부함, 자연과의 친화력 같은 걸 꼽아주더군요. 그 평가 덕분에 한국PEN의 언어보존위원을 역임하기도 했죠.

– 선생님의 글은 때론 무서운 폭발력을 가지고 있는 듯합니다. 다시 말하면 글 속에 무슨 한恨이 배어 있는 느낌을 지울 수 없습니다. 사실 인생은 한恨입니다. 막상 죽을 때는 다 한이 됩니다. 흘러가는 바람과 같은 짧은 생이며, 죽음이 없어지면 태어남도 없어지니 삶은 그야말로 괴로움의 연속입니다. 그래서 말인데 이런 철학적 글을 쓰는 이유가 있습니까?

▶ 철학적이랄 게 없어요. 누구나 관觀이 있으니까요.

다만 너도 살고 나도 산 알량한 인생사를 주절거리면 뭐합니까? 편견이나 소견조차도 얻을 게 없는 글을 어쩌라고 남발하겠어요? 다만 자신의 한 생각 한 행동 행위를 미끼로 인간과 세상을 낚아 엮어야지 문학이 되지 싶어서 온갖 공부를 합니다. 인문학 소위 문사철文史哲이 기본이죠. 전달력 좋은 전람회나 영화도, 음악회나 공연도 사유와 의식 수준이 낮으면 관람하기에 짜증 나더라고요.

한마디로 나는, 희노애락애오욕喜怒哀樂愛惡慾의 괴로움을 좋은 스승으로, 지혜로운 벗으로 생각하는 사람입니다.

– 선생님은 책을 많이 읽는 걸로 압니다. 한 달 독서량은 몇 권이고 주로 어느 책을 읽고 있는가요?

▶ 시집 네댓 권에 수필집이나 관심 가는 잡동사니 책을 10권쯤 도서관에서 빌려다 읽어요. 집으로 오는 책을 대충 소화하고, 문학잡지는 이름이나 관심 가는 논문이나 이론서를 주로 읽고 버립니다. 눈도 아프고 시간이 없어요. 형편없는 글이 걸리면 짜증 나요.

짬짬이 집에 있는 명저를 이것저것 뽑아서 아무 데나 다시 읽지요. 불교의 몇 가지 경전이나 성서, 고문진보나 대학大學 중용中庸 같은 책, 『신과 나눈 이야기』나 『신들의 수수께끼』, 토인비와 러셀 등등은 이따금 뽑아 들죠. 어느 날, 누가 묻기에 '마키아벨리'를 읽고 있다고 하니 깜짝 놀라더라고요.

– 존경하는 작가와 감명 깊게 읽었던 책, 그리고 나의 인생에서 가장 영향을 끼쳤다고 할 만한 책이 있다면 말씀해 주세요.

▶ 고등학교 1학년 때, 대학생 오라버니가 인간의 성서라는 니

체의 『짜라투스트라는 이렇게 말했다』를 선물해 줬어요. 소위 도서대여점에서 빌어다 밤새듯 읽던 통속적인 일본소설과 프랑스와즈 사강이나 이안 플레밍의 007소설류를 뚝 끊고 종교 철학에 빠지게 되었죠. 그때 문선명 교주의 통일원론을 통독하고 통일교회와 박태선 장로교회, 순복음교회의 집회설교나 레마선교회의 설교집을 몇 번씩 경청하기도 했죠.

그러나 역시 진실로 인간적인 소설가들이 흠모의 대상이었어요. 캐서린 맨스필드와 E. 헤밍웨이, J. 스타인벡에 매료되어 결국 영문과를 선택했지요. 『좁은 문』은 마흔 살 즈음까지 해마다 일독을 했죠. 아리사가 성모상 앞에 십자가 모양으로 엎드려 기도하는 말은 언제나 감동이었어요. 하느님께 귀의歸依한 수녀 아리사가 "성모님이여, 나는 누구의 가슴에 기대어 울 수 있나이까?" 기도하며 엎드려 울다니, 기막히지 않습니까? 나의 기도이기도 했지요.

여성작가로 『생의 한가운데』의 루이제 린저, 『브람스를 좋아하세요?』의 프랑수아즈 사강, 『연인』의 작가 마르그리트 뒤라스, 사르트르와 계약결혼하고 『인간은 모두 죽는다』와 『제2의 성』을 쓴 '페미니즘의 어머니'라 칭송한 시몬느 드 보봐르, 『종이시계』를 쓴 앤 타일러, 『지지』를 쓴 꼴레뜨 같은 작가들이죠. 특히 소설가 얘기를 하자면 굴비두름처럼 줄줄이 나오지요. 신나요, 그들의 작품 얘기는.

- 아직 읽지 못한, 앞으로 꼭 읽어보고 싶은 책이 있다면

▶학생 때 으스대며 읽었던 사상전집 30권을 몇 년 전에 구입했어요. 칠십이 지나면 그것과 경전 경서나 읽고 또 읽으려고요. 그리고 책장을 둘러보며 제목 속에서 숱한 인간과 인생을 만나지요. 큰 즐거움입니다.

집안에 체 게바라, 졸바, 스콧트 니어링, 요한 교황성하, 갈물 이철경의 한글서예작품, 이학 자수연구집, 강암 송성룡의 글씨, 운보 김기창 선생의 화집, 하반영 화백의 그림과 어머니 정휴당貞休堂의 서도書道작품을 읽으면서 안빈낙도安貧樂道하려고 합니다. 지족상락知足常樂이죠.

- 저는 철학을 좋아합니다. 그래서 말인데요, 존경하는 철학자가 있다면 누군지요. 그리고 자신은 어느 철학자의 영향을 받았다고 생각하시는지요?

▶ 누구보다도 니체! 인간의 성서를 참 열심히 읽었지요. 그리고 역시 소크라테스와 아리스토텔레스. 예수의 형님이라는 톨스토이와 러셀, 알베르 까뮈, 프로이드, 슈바이처. 시몬느 드 보봐르. 이들도 모두 사상가들이지요.

- 엉뚱한 질문 하나 하겠습니다. '인생이란 무엇인가'라는 문제입니다. 이러한 원초적 질문은 인류의 기원 이래 여태까지 진

행되고 있는 영원한 물음표입니다. 저도 이 문제에 대해 머리를 싸매고 고민한 적이 있습니다. 그러나 위대한 사상가, 철학자, 종교적 성인들이 이 문제에 대해 나름대로 해석과 해답을 내렸지만, 여전히 교과서적인 결론은 없다고 봅니다. 물론 일부 종교는 인생문제를 아주 쉽게 판단합니다. 기독교가 그렇습니다. 예수 믿고 구원받으면 바로 천국 갑니다. 너무 쉽습니다. 그러나 이는 매우 추상적입니다. 셰익스피어는 대답하기를 "인생은 백치가 중얼거린 두서없는 이야기"라 했고, 모파상은 말하길 "인생은 희극도 아니고 비극도 아닌 희비극"이란 정의를 내렸습니다. 인생, 과연 인생이 무엇인지, 나름대로 정리된 이론이 있다면 말씀해 주세요.

▶인생의 정답은 원주율 파이(π)와 같은 거라고 생각합니다. 3.14159.......현재, 이렇게 소수점 이하 백만 자리까지 풀었어도, 아직 똑 떨어지는 답이 안 나왔지요. 소수점 이하 백만 자리만큼의 차이를 사람이 구별하여 알기나 하고 이해나 할까요? 수학이 철학인 이유를 알 수 있지요. 백인 백색의 답이 있을 뿐이겠지요. 그런 질문도 없이 돈벌이에 혈안이 되어 사는 사람의 인생도 인생이지요. 모두 자기 그릇만큼, 자기 그릇처럼 살다 죽지요.

인생은 진즉에, 배운 만큼 아는 만큼 사는 것이라 했죠. 아는 것은 배운 만큼이고, 배워 알면 더 잘 배우지요. 공부한

만큼 아는 거죠. 살아가는 한 공부는 지속해야 해요.

나는 오직 나만의 인생행로를 걷죠. 성현들께서 인생은 고해苦海라 했으니 그런가 보다 해야지요. 고해를 어차어피 건너야 하는 거라면 헤엄치기를 즐겨야지요. 괴로움도 슬픔도 오래 씹으면 달아지지요. 합장()

- 다른 질문을 하겠습니다. 우리나라에도 훌륭한 문인들이 많고 훌륭한 작품들도 많습니다. 그런데 아직 노벨문학상 수상자가 탄생하지 못했는데 무엇이 문제라고 보시며, 한국의 '노벨문학상' 그 가능성을 어떻게 보십니까?

▶ 노벨문학상은 반드시 인류애, 자유혼, 사상 철학이 있어야 선택되더군요. 대학시절부턴 그해의 노벨상 수상 저서가 발간되기를 기다려 대뜸 사서 읽었죠. 지금도 사무엘 베케트의 『고도를 기다리며』의 감동과 막막함을 잊을 수가 없어요. 난 지금도 이따금 나의 '고도'를 기다린답니다! 노벨문학상은 대부분 시인이나 소설가가 수상하지만, 영국의 처칠은 정치연설문 곧 일종의 에세이로 수상했지요. 처칠은 어휘가 다양하고 풍부했습니다. 보통사람은 잘해야 3000단어 정도 사용한다는데 처칠은 2만 단어를 섬세하게 썼다고 합니다. 정서와 인식의 풍부한 표현을 깨우쳐주더군요.

흔히 번역을 탓하기도 하는데, 불어와 영어, 스웨덴어 번역에 인내심을 갖고 투자하여야겠지요. 우리나라는 경제부국은 되었을지라도 문학예술은 빈약하기 짝없죠. 마치 상놈이 칼자루 쥔 꼴이어요. 근래엔 문학다운 책의 저작 보급과 문학의 고품질을 위한 서책 발행이 아니라 장사꾼 돈 벌어주느라 요지가지 문인이 빌붙는 꼴이니 말입니다. 문인들이 자화자찬하고, 정부와 출판계에서 개인 이익이나 바라선 결코 넘볼 수 없는 노벨문학상이지요.

말 나온 김에요, 음, 쓸데없는 동인지나 부끄러운 글에, 닭에게 모이 뿌려주듯 문예진흥기금을 낭비하지 말고 번역에 쏟아주면 어쩔까요?

지구상에 유일한 분단국가이며 동족애를 원수의 증오심으로 변질시키려고 부추기는 고난의 나라에서, 어찌 뼈아픈 동족애와 이념대립이 주는 비극에서 민중을 구원하는 소설이 나오지 않을까요? 왜 그런 철학이 내재한 시와 수필이 나오지 않았을까요? 앞으로는 그런 문학이 생산 될란가요?

우리나라에서 베스트셀러가 되는 책들을 살펴보셔요. 노벨문학상에 버금갈 만한 문학이던가요? 제발 문인들부터 외국의 서책을 부지런히 읽어보고, 우리의 자질이랄까 능력이랄까 먼저 고양高揚해야겠지요.

- 도내 신문 신춘문예에 대해 한 말씀 올리겠습니다. 지난 수년

간, 도내 신문 신춘문예 심사위원들을 살펴보면 한 사람이 한 신문사에 여러 차례의 심사를 하는 경우가 있습니다. 이를테면 '전속 심사위원'이겠지요. 이런 경우 심사위원의 기호나 취향에 따라 당선작이 정해지는 폐해가 생길 수 있습니다. 제 생각은 도내 신문 신춘문예는 도내출신 심사위원을 배제하고 다른 지역의 심사위원이 심사하는 것이 타당하다고 보는데, 어떻게 생각하십니까?

▶ 그것도 한 방법일 수 있겠습니다만, 그것보다 다양한 시각의 심사위원이 필요하겠지요. 그러자면 위촉자가 다양한 작가를 알고 있어야 할 텐데요. 모든 분야가 달로 날로 발전 변화하는데, 어찌 문학을 가리는 심사위원의 눈은 어쩜 그리도 구태의연할까요. 농사짓는 땅도 갈바래건만, 문인은 한번 입은 옷을 갈아입을 줄도 모르는 것 같아요. 젊은 기자들도 케케묵은 생각에 절어있을까요? 왜 그럴까요?

– 다시 문학 얘기입니다. 선생님은 글감의 소재를 어디서 찾습니까? 글쓰기에 대한 자신만의 노하우가 있나요?

▶세상공부에서 발상을 하지요. 전람회, 여행, 만남, 영화감상, 잡학의 독서가 도움이 됩니다. 글의 씨를 얻으면, 관계된 전문서적 독서나 미술전 나들이, 개성 있는 사람 만나기, 산책을 자주 합니다. 머리로 구성을 하고 첫문장과 문투가 영감

처럼 떠오르면 주욱 쓰죠. 반드시 초고는 손에 필기구를 쥐고 씁니다. 그래야 줄줄이 흘러나오지요. 억지로 조금씩 꾸어다 쓰는 건 글에 힘이 없어서 싫어요.

- 글을 쓴다는 것은 참으로 어렵습니다. 또 쓴다고, 다 문학이 아닙니다. 그래도 글을 통해서 나름 보람도 느꼈을 줄 압니다. 지금껏 글을 쓰면서 가장 보람되었던 때는 언제였는지요?

▶ 아버지와 오라버니께서, 그리고 어머니께서 내 글을 "참 맛나다."거나 "읽을 맛이 나는 시다."고 하셨을 때였죠.
  "나는 니가 시인이고 수필가인 것이 참 좋아!"라며 노인병원 병상에서 어머니가 "시인은 인생이 뭔지 알잖아." 이러셨어요.
  저의 어머니는 꽃이나 구름 한 점을 보고도 한시漢詩를 주욱 외곤 했어요. '시를 짓지 않은, 진짜 시인'이었지요. ()()()
  한 분 오라버니는 진즉에 3천 권을 독파한 독서가로, 생각할 줄 아는 분이었어요. 사통팔달 잘 통하는 대화자였어요. 음악에 운동에……. 너무 일찍 돌아가셨지요. 누구에게서 다시 이런 격려와 소통의 말을 들을 수 있으랴 싶네요.

- 전북수필문학상에 대해 말씀드립니다. 회원 중 시인은 문학

상을 받을 수 없다는, 아니, 주면 안 된다는 묵시적 조항이
있는 것으로 압니다. 제가 생각할 때 회원의 자격으로서 똑같
이 회비 내고, 글도 내고 그러는데 왜, 시인이라고 전북수필
문학상 수상에서 배제돼야 하는지 모르겠습니다. 이를 어떻
게 생각하십니까?

▶어불성설語不成說이죠. 허영자, 이향아, 신달자, 유안진 시
인은 수필을 기막히게 잘 쓰고 문학상도 받았지요. 나도 근
20여 년 '전북수필'의 교정을 보고 국어에 어김없는 수필을
썼지만 전북수필문학상을 받지 못했어요. 누구의 의견이었는
지……. 그런가 보다 해야죠 뭐. 그런데도 수필전문지 〈현대
수필〉과 윤재천 발행인이 수여하는 '구름카페문학상'을 시인
으로는 처음 받았어요. 이규태, 마광수, 조재은, 박양근, 한
상렬, 지연희 선생 등등이 수상한 수필문학상이지요.

　마치 속이 좁은 동네할머니 생각 같긴 해요. 하하하. 그런
데요, 현재 이 지역에는, 갖가지 수필문학상이 많던데요. 내
놓기 부끄러운 상은 한 끼 밥상만도 못하지만. 시대의 인플레
에 맞게 상금을 올려서 고료라도 되어야지, 수상자의 수나 늘
여서 무에 쓸 것인가요? 노벨상은 백 년이 되어가고 세계인
구는 엄청나게 늘어났어도 해마다 한 분만 수상하던데요!

　- 선생님은 문단 원로이십니다. 문단 원로로 살아오시면서 지

금까지 돌이켜보면 미흡했던 점은 무엇이며 앞으로 꼭 해보고 싶은 것은 무엇입니까.

▶ 무슨 원로까지나요. 쉰 살까지 한 20년 문단봉사 많이 했지요.

　보리밭에 깜부기 같은 사람이나 좀 없었으면 좋겠습니다. 10년 넘도록 문단어른들에게 겸손하고 공손하게 낮은 자리에 서곤 했습니다. 그때부터 모신 문단 원로들이 불러주시니 가끔 상경하기도 하죠. 무엇보다도 고등학교 은사이며 전북문단의 최고령(미수米壽)에 최고 원로이신 홍석영 선생님을 거의 매월 만나 옛이야기 듣는 시간을 행복하게 즐기고 있어요. 선생은 소설계에 짱짱한 제자들을 배출한, 우리 문단의 과거 역사이시죠. 소설가는 흔전만전하지 않아서 그나마 다행이어요.

- 전북문단, 나아가 한국문단에 바라시는 게 있다면 말씀해 주세요.

▶ 문학은 대중문화가 아니라 예술입니다. 예술정신이 투철한, 공부를 깊이 하는 문인들로, 문인의 프로의식과 자존심을 가꿀 줄 알았으면 좋겠습니다. 현대는 고학력에 전문가의 시대입니다. 문학이 무시 받지 않기를 바랍니다.

　과거를 답습하는 구태의연한 글은 이미 죽은 문학입니다.

읽히지도 읽지도 않는 책을 두툼하게 발행하여 폐지를 늘리지 말고, 문단 바깥의 독자들이 구독하고 싶을 만한 작품이 많아지면 좋겠습니다.

－ 마지막으로 전북수필 회원들에게 한 마디 해주십시오.

▶나는 이미 '전북수필문학회'의 회원이 아닙니다. 남의 살림에 감 놓아라, 배 놓아라, 할 필요가 없죠. 그리고 이삼십 년 전과 달리, 사욕私慾 가득한 나이든 문인들인데 어찌 외람되게 충고를 하겠습니까.

－ 장시간 대담에 응해주셔서 감사합니다. 앞으로 좋은 글 많이 써서 독자를 기쁘게 해주시고 더욱 건강하시기 바랍니다. 감사합니다.

▶ 우리 모두 작가양심과 작가정신을 투철히 가지고, 읽을 만한 문장을 쓰도록 공부합시다.

서평

궁이후공窮而後工 작가의 차분한 '노계老計'

임 명 진 (문학평론가, 전북대 명예교수)

◆ 이 수필집의 지은이 김용옥은 일찍이 1980년 등단한 이후 일곱 권의 시집과 10여 권의 수필집을 내었으니, 시인으로 불리어도, 수필가로 불리어도 조금도 어색하지 않다. 그러나 '김OO 시인' 또는 '김OO 수필가'라는 호칭은 그의 문학세계 전체를 아우르는 말로는 적합하지 않다. 시인이면서도 수필가이고 또 들꽃을 화폭에 즐겨 담는 야생화 그림작가이기도 한 그의 예술세계를 모두 통괄하는 호칭으로는 '김OO 작가'가 가장 무난하다고 생각된다.

김용옥 작가는 지난 사십여 성상 동안 20권에 이르는 시집·수필집을 내었고, 수년 전에 고희를 넘겼으니, 연륜으로나 약력으로나 그 호칭 앞에 '원로'란 말을 붙여도 무방하다. 그러나 그의 작품 여기저기에서 아직도 청년의 감성과 장년의 기백이 살아있음을 감지한 사람이라면 이런 관형어를 붙이는 데 주저할지도 모른다. (그래서 필자도, 그가 '원로'란 말을 저어할지 선호할지 모르기도 하지만, 그의 감성과 기백을 귀하게 여기는 사람의 하나로서, 이 글에서는 이 관형어를 생략하고 '김용옥 작가', 또는 '김 작가'로 지칭하기로 한다.

김 작가는 최근 두세 달 사이에 시집 한 권과 수필집 두 권을 내었으며, 금년 안에 이 작품집을 포함하여 두세 권의 문집을 속간할 계획이라 한다. 가히 '원로' 작가의 노익장이라 할 만하다. 등단 40주년에 즈음해서 그간의 문학 활동을 일단(?) 정리하는 작업으로서도 5~6권의 문집 발행은 말 그대로 방대하다. 이순이니 고희니 하는 나이테에 맞춰 책 한 권 내는 게 보통 문사들의 알량한 기념집 간행인 것에 비하면, 아무래도 그렇게밖에 표현할 말이 적당치 않다. 게다가 이 문집들이 거의 다 신작들로 채워진다는 점에서는 더 말할 나위가 없다.

◆ 필자는 이 글을 쓰기 위해서 김용옥 작가의 최근 문집 너덧 권을 일독하였다. 이 작품집에 실린 작품만으로 그의 문학세계를 충분히 이해할 수 없다는 판단이 작용한 것. (그의 문학·예술을 제대로 이해하기 위해서는 그의 작품집 전체를 통독하고 또 그의 일상생활도 어느 정도 알고 있어야 할 터인데, 이런저런 형편으로 그리하지 못한 것은 적잖이 아쉬운 일이다. 그래서 이 글은 김용옥 작가의 예술세계 전체를 포괄할 수 없다는 점을 먼저 밝히고, 이 작품집에 실린 수필을 중심으로 그의 문학 세계의 일면을 언급하는 데에서 그칠 것이다.)

김 작가의 문집들을 읽고서 필자는 '박람강기博覽强記'란 말을 가장 먼저 떠올렸다. 김용옥 작가는 학창시절 영문학도로서 접했던 헤밍웨이와 스타인벡과 에즈라 파운드는 물론이요, 영·불·독·러 등의 대문호들과 중국의 공자·노신, 유럽의 클래식 음악가, 그리고 국내외 영화 거장들을 작품 안에 불러들인다. 그런가 하면 그의 작품에는 전시회, 사진전, 수예전, 판토마임, 영화 음악, 찰리 채플린, 조용필, 앤디 워홀, 신해철도 등장한다. 말 그대로 동서고금을 넘나들고 그야말로 장르 사이를 관통한다.

김용옥 작가는 스스로 유년기부터 예술의 향기 속에서 자라났다고 술회한다. 친정 어머니 정휴당貞休堂은 한국 최초로 서예초대전을 개최한 예술가였다니…….

서예가 어머니는 야구 피처인 아버지의 손으로 갈아낸 먹물로 붓글씨를 썼다. 아버지의 친구들은 대개 시인 묵객이거나 성공한 운동선수들이었다. 내방한 빈객들은 주안상을 놓고 고담활론을 설왕설래하다가 시를 읊었고. 그러면 아버지께선 벼루를 꺼내어 먹을 갈고 어머니께선 붓을 잡아 일필휘지하여 벽에 줄줄이 걸어놓고 다 함께 시를 논하곤 했다.

「나는 사람새다」 중에서)

김 작가 문집 여기저기에서 정휴당은 단아한 예술가로, 자애로운 어머니로, 그리고 신심 어린 종교인으로 등장한다. 이렇듯 은은한 묵향과 안온한 가정 속에서 자라난 김 작가는 대학시절 이후 문학 · 영화 · 음악 등 다방면의 예술에 심취하고, 종교·철학 등 인문학 전반에 폭넓은 안목을 키워나가게 된다. 또한 김 작가는 결혼 후에도 잠자는 시간을 아끼면서 사상·철학·예술·역사 분야 고전을 독파하였고, 아파트 평수를 늘리는 대신 그 돈으로 세계도처 방방곡곡을 여행하였다.

김 작가의 이런 부단한 독서와 폭넓은 견문이 결국 그의 창작 활동에서 박람博覽의 원동력으로 작용한 것 같다. 그리고 그런 작용의 결과로 그의 작품은 다채롭게 물들고, 그래서 그 독자들은 매우 풍요로운 화원으로 나아가게 된다. 한두 가지 예를 들어보자.

헤밍웨이가 가장 사랑했다는 셋째부인 마리아 헤밍웨이도, 그(헤밍웨이)의 고독과 사랑의 덧없음을 이해하지 못하였다. 특히 남녀의 사랑은 쓸쓸하고 외로우며 아픈 것인 걸……. 그는 유명인이고 천재이며 인생을 어찌 살아갈 것인가를 곰곰이 생각하고 환히 알았다. 일부의 권력 욕망이 저지른 전쟁에서 억울하고 비참하게 덧없이 죽어간 젊은 주검들을 숱하게 지켜본 그가 무슨 수로, 매양 희희낙락하며 살 수 있었겠는가. 보이지 않으나 약육강식이 끊임없

이 일어나는 잔잔하고 푸른 바다는, 뼛속까지 고독한 그가 진실로
살고 싶은 생놀이터였을지도 모른다.

(「헤밍웨이를 그리네」에서)

가장 오묘하고 아름답고 광활한 그림인 세계지도를 벽화처럼 걸
어두고 살았다.

어렸을 적부터 지도 또는 세계지도는 늘상 꿈을 갖게 했다. 갖가
지 책을 읽고 세계지도를 펼치면 세계유적지나 산하와 거리거리를
몇 시간이나 꿈꾸듯이 돌아다녔다. (~~ 중략 ~~)

지도는 상상의 시작점이 되곤 했다. 역사적 관점과 소설적 환상
을 그리게 했다. (~~ 중략 ~~) 그 후로 세상은 엄청나게 변화했
다. 사람들의 발길이 닿지 않는 곳이 거의 없을 지경이고, 지나치
게 돌아다니며 지구자연에게 공해를 끼쳐 지구 생명들이 위태로워
진 지경이다. (~~ 중략 ~~) 사람들의 수선스러운 해외여행이 불
어나는 어느 봄날, 방 한쪽 벽을 커튼처럼 덮고 있던 세계지도를 걷
어냈다.

(「세계지도 벽화」에서)

◆ 김 작가의 문집을 읽고 난 후 생각나는 또 다른 말은 '궁이후
공窮而後工'이다.

이 말은 일찍이 중국 송나라 시인 구양수歐陽修(1007~

1072)가 「매성유시집서梅聖兪詩集序」에서 "시인이 곤궁해질
수록 더욱 작품은 공교로워지는 것인즉, 시가 사람을 곤궁하
게 만드는 것이 아니라 아마도 시인이 곤궁해진 다음에야 그
시가 공교로워지는 것이라 여겨진다. 蓋人兪窮則兪工 然則非
詩之能窮人 殆窮者而後工也."라고 말한 데서 유래한 것으로 알
려져 있다.[1)]

개략적으로 이 말은, 시인(문학인)이 '궁窮'의 과정을 겪은
후에야 그의 작품의 예술성이 더욱 고양된다는 뜻을 담고 있
다. 그러나 여기서 말한 '궁窮'은 단순히 경제적 곤궁을 뜻하
지 않는다. 대개 사람들은 살아가는 동안 예기치 못한 풍파를
만날 수 있고, 바라는 대로 이루어지지 않는 바도 적잖을 터
인즉, 그러할 때 난관의 과정을 극복한 후에 더욱 좋은 문학
작품을 산출할 수 있다는 점의 비유적인 표현인 셈이다.

김용옥 작가의 경우 이 말은 더욱 적실하게 맞는 것 같다.
김 작가는 자신의 수필집 여기저기에서 결혼 후 자신의 삶이
순탄치 않았음을 밝히고 있다. 1970년대 한국사회에서 젊은
새댁이 겪는 시집살이는 당시로서는 일반적인 고충이라 할지
라도, 건축기사였던 남편의 폭력으로 외딸 하나를 데리고 파
경에 이르고, 그 이후 젊은 이혼녀로서 견뎌야 할 사회적 편

1) 임종욱 편, 『동양문학비평용어사전』(범우사, 1997), 169~173쪽
및 175~176쪽 참조.

견과 심신의 병고, 그리고 최근 중년이 된 딸이 겪는 엄중한 투병 등은 그 하나하나가 그저 만만한 '궁'은 아니다. 보통사람이라면 이 중 어느 하나도 견디기 어려운 것이었지만, 김용옥 작가는 독서와 사색과 여행으로 그 신산한 '궁'들을 극복해 온 것이다. 구양수의 말마따나 작가는 작품활동으로 해서 궁해지는 게 아니고 작가는 궁한 환경을 잘 견디고 나서야 좋은 작품을 쓸 수 있다면, 김 작가에게 불운과 병고 등은 독서·여행·사색의 시간을 늘여준 계기가 되었고, 그런 과정을 지혜롭게 지나오면서 문학활동의 훌륭한 자양분을 승화시킬 수 있었다.

어려서부터 수채화 붓과 서예 붓을 손에 쥐고 성장했다. '나 자신을 살 나이' 서른셋부턴 미술도구 서예도구를 펼칠 공간이 없었다. 원근간에 여행지 추억과 각종 팸플릿과 책은 자꾸 불어났다. 할 일과 하고 싶은 일은 많아 준비해야 하는데, 가장 못 견딜 일은 육체고통이 나를 강타하는 일이었다. 이 시기를 통과하며 "언제까지 허리 꼿꼿한 모습으로 살 수 있을까?" "시를 쓰다가 사십 이후가 되어 수필을 쓸 수 있을까?" 날마다 질문하며 살았다. 아니 그런 질문을 잊기 위해 잠을 줄이고 온갖 사람살이와 예술놀이를 즐겼다.
척추는 사지를 쥐어 비틀고 심폐기능은 정상인의 절반짜리이므로, 절박한 나는 하루 시간을 두 배로 살고 싶었다. 잠은 1일에 4

시간으로 족했다. 불운을 극복하는 아픈 과정은 목숨과 삶을 진진하게 사랑하게 했다. 인간과 인생을 이해하는 지혜를 익힌 것이다.

(「시간 따라 풀꽃 따라」에서)

'나 자신을 살 나이'를 '누구의 간섭도 도움도 없이 스스로 살아야 하고 스스로를 위해 살 나이'로 풀 수 있다면, 아마도 김 작가가 '한부모가장으로 독립한 나이'로 이해된다.

이때부터 김 작가는 병고를 견디면서 시간을 쪼개어 여행·독서 활동을 늘여가며, 그런 과정에서 자신의 불운을 극복하는 지혜를 터득한다. 여행·독서를 통하여 자신의 '궁'을 잘 다스리고 극복하는 사색의 과정이 그런 지혜에 이르는 길이었을 것이다.

윗글에서 또 하나 주목되는 것은 30대 초에 시인으로 등단한 김 작가가 40대 이후 수필 창작을 소망했다는 점이다. 실제로 김 작가는 불혹 이후에 수필로 다시 데뷔하고, 이후 시인보다는 수필가로서의 활동을 더욱 왕성하게 한 것으로 보아 이런 소망은 기대 이상으로 실현된 것으로 판단된다. 기성시인이 수필가로 옷을 갈아입으려는 경우는 흔치 않다. 시인의 자리를 지키면서 여기餘技로 수필을 쓰는 경우는 더러 있지만, 그 경우에도 대부분 자신의 본적을 수필마을로 옮기지는 않으니까. (김 작가는 얼마 전 어느 문예지 편집자와의 인터뷰에서 시보다는 수필에 더 주력하고 싶다고 말한 바 있다.)

　그러면 김 작가의 이런 소망과 그 실현 과정을 어떻게 해석해야 할까? 일차적으로 수필이 지니는 자기고백적 성격을 감안하면 "불운을 극복하는 아픈 과정"을 작품화하는 데에 시보다는 수필이 더 적합할 것, 즉 박람한 독서와 다양한 견문을 교직交織시켜 사색思索이라는 피륙을 짜내는 데에는 시보다는 수필의 공법이 더욱 적합할 것이라는 진단이 가능하다. 이런 '진단'이 그르지 않다면, 예의 '사색의 피륙을 짜내는 과정'을 거쳐 김 작가는 비로소 '궁이후공窮而後工'의 경지에 이르게 되었다는 해석이 그것.

◆ 이 작품집에 실린 작품들은 다음과 같이 대별할 수 있다.

① 시평時評 또는 칼럼 성격이 강한 글 : 「난립난행亂立亂行 여성 시대」 외 8편.

② 미셀러니에 가까운 글 : 「관棺 겸 농籠 겸」 외 9편.

③ 문학 · 예술을 소재로 한 에세이 : 「음악은 최고의 씻김 굿」 외 7편.

④ 인생 · 죽음을 소재로 한 에세이 : 「죽음처럼 '고도'를 기다리며」 외 9편.

　이 가운데 ①과 ②는 타 작가의 수필집에서도 흔히 만날 수 있는, 즉 수필 장르의 특징을 살린 작품들이다. 그렇다고 이 작품들이 ③·④에 비해 작품성이 솟는다거나 낮다는 뜻은 아니다. 어쩌면 이 가운데 수필의 강점이 깃든 수작이 많다. (이 자리에 그 작품들을 인용하기에는 그 분량이 너무나 많으므로 독자들의 '찾아 읽기'에 맡긴다.)

다만 필자의 방점傍點은 ③과 ④에 있다는 점을 강조한다. 특히 ③번 '문학·예술을 소재한 에세이는 김용옥 작가를 이해하는 데 중요한 단서를 제공한다. 그가 일찍이 유년기부터 예술적 분위기 속에서 성장하고 그 후에도 줄곧 그런 환경을 크게 벗어나지 않았다는 점에서도 그러하거니와, 특히 노년에 이르러 문학·예술은 그에게 더욱 중요한 삶의 준거가 되기 때문이다.

나의 시와 수필에선 구태의연한 음풍농월이나 사랑타령, 서정타령을 쓰고 싶지 않다. 그러니 갖가지 분야의 책들과 요지가지 전람회와 공연장을 들락거리고 또한 최고의 서적이며 최후의 스승인 자연 속에서 서 있을 수밖에 없었다. 천태만상의 인생의 문을 아는 만큼 열 수 있고 열어보아야 제대로 사유할 수 있지 않겠는가. 언젠가는 그림 같은 시를 쓰고 음악 같은 수필을 쓰고, 영혼과 지성의 좁은 문을 열어주는 문학을 생산하고 싶어서였다.

(「도서관 글 읽고 한 숟가락 글을 쓰는 까닭」에서)

예술은 누가 누굴 가르치는 단계를 벗어나 있다. 독창성 없으면 죽은 예술이다. 옛적에 초보 재주꾼이 생계를 위해 영화 간판을 그리던 일과 같은 게 아니잖은가? 젊어 한때는 이응로도 하반영도 영화 간판을 그리는 '빵끼쟁이'였다. 그러나 그들은 결국, 세계적인 화가다. 무릇 예술이란 창의創意 창작創作이며 오직 탐구의 작품임을 실현한 때문이다.

(「그 입, 다물라」에서)

김 작가에게 '독창성 있는 예술', '영혼과 지성을 깨치는 예술'은 삶의 이유이기도 하고 존재의 근거이기도 하다. 김 작가의 '예술론'은 예서부터 실마리를 찾아야 한다. 먼저 삼사십 성상 불운과 곤경을 겪어온 노 작가가 그런 주장을 한다는 점에 더욱 귀 기울여야 한다.

온갖 생물들은 자신의 유전자를 세상에 남기려는 본능을 갖고 있고 인간도 예외가 아니다. 영국의 진화생물학자 도킨스(R. Dawkins)는 모든 생물은 유전자遺傳子(gene)가 들어 있는 생존기계(survival machine)이며, 진화는 유전자에 의해 자기 복제의 가능성을 높이는 이기적인 방향으로 진행되어 왔다고 주장한 바 있다.[2]

그러면서 그는 인간만이 유일하게 생물학적 유전자의 폭정에 저항할 수 있고 그것은 '밈(meme)'으로써 가능하다고 하

여 인간을 여타 생물과 다르게 이해할 수 있는 과학적 근거를
제공하였다. [3]

이후 다른 학자들에 의해 '밈(meme)'은 '문전자文傳子'로,
또는 '문화유전자'로 불리기도 하였지만, 인간만이 문화와 문
명을 일구어온 근거를 이 '밈(meme)'에서 찾고자 한 점에서
는 여러 학자들이 일치된 견해를 보이고 있다. (앞으로 이 글
에서는 'meme'을 '문전자'로 표기한다.) 요컨대, 인간은 여
타 생물들과 마찬가지로 본능적으로는 자기복제를 위한 생존
기계이기도 하지만, 그래서 생존기계로서는 새로운 유전자를
만들어내지는 못하지만, 여타 생물과는 달리 문전자를 지니
고 있어 문화와 문명을 일굴 수 있다는 것이다. 도킨스의 주
장에 귀 기울이면, 위대한 예술가·학자·사상가들은 위대하
고 풍족한 '문전자 복합체(meme complex)'를 지닌 사람이
며, 이들의 문전자가 작동하여 예술·과학·사상이 발전되고
그리하여 문화와 문명을 일굴 수 있다는 것이다. [4]

2) Dawkins, Richard. 홍영남·이상임 역, 『이기적 유전자』(을유문화
   사, 2010). 68~72쪽.
3) 같은 책, 318~335 쪽
4) '문전자 복합체(meme complex)'는 문화생활을 하는 인간들은 누
   구나 지니고 있지만, 위대한 예술가·학자·사상가·장인匠人 등은 더욱
   강렬하고 다양한 문전자 복합체를 지니고 있어서 문화와 문명의 발전
   에 기여한다고 본다.

이런 각도에서 김 작가의 '예술론'은 문전자의 측면에서 접근할 필요가 있다고 여겨진다. 그가 주장해 마지않는 '영혼과 지성을 깨치는 예술'은 곧 문전자가 강렬하게 작용하는 예술로 재해석이 가능하기 때문에. 그렇다면 그의 부단한 독서와 다양한 견문은 그의 '문전자 복합체'를 채우는 자양분이라 할 수 있다. 다만 그의 '문전자 복합체' 내의 예술적인 문전자들은 사상·철학적인 문전자들과 결뉴結紐되어 있을 것이라는 점도 쉽게 추정된다.

◆ 이제 앞에서 분류한 ④ 인생·죽음을 소재로 한 에세이에 관해 언급할 차례다.

사람은 생로병사를 겪기 마련이고, 그래서 누구나 노년에 이르면 지나온 인생을 반추하고 또 다가올 죽음을 대비하게 된다. 김용옥 작가도 이미 발표된 「사계死計의 미학」이란 제목의 작품에서 언급한 바 있거니와, 일찍이 중국 송나라 한림학사인 주신중朱新中은 인생살이에는 다섯 개의 계획이 있어야 한다고 하면서, 이름하여 '세시오계歲時五計'라 하였다. 그가 말한 '세시오계'의 골자는 다음과 같다.

첫째는 '생계生計'다. 장차 무슨 일을 하면서 먹고 살 것인가에 대한 계획이다. 생계에서 성공을 거두려면 내 적성에 맞는 직업을 신중하게 선택해야 한다. 둘째는 '신계身計'다. 즉

건강하게 살기 위한 계획이다. 어떻게 하면 정신적, 육체적으로 튼튼하게 살 수 있는가를 설계해야 한다. 셋째는 '가계家計'다. 가정을 원만하게 경영할 것인가의 문제다. 경제적인 문제는 물론 부모와의 관계, 부부관계, 자식관계, 형제관계를 잘 설정해 나갈 것인가의 계획이다. 넷째는 '노계老計'다. 어떻게 하면 국가나 이웃이나 자식들에게 폐를 끼치지 않고 당당한 노후를 보낼 것인가를 설계해야 한다. 또 노년은 울림이 있는 삶을 살아야 한다. 그러려면 많은 것을 비워야 한다. 북이 크게 울리는 것은 속이 비어있기 때문이다. 다섯째는 '사계死計'다. 어떤 모습으로 이 세상을 떠날 것인가의 계획이다. 호랑이가 호피를 남긴다면, 인간은 무슨 일을 하든 일가一家를 이뤘다는 이름을 남겨야 한다.

김용옥 작가는, 주신중의 세시오계에 의거하면, 이미 '노계'를 실천하고 있다.

나이 70세의 그(김용옥 작가 스스로를 가리킴)는 젊어 한때엔 '생의 엔조이enjoy'의 본질을 탐구하며 음악, 책, 역사 철학과 미술, 여행에서 기쁨과 즐거움을 얻기도 했다. 우정과 사랑, 대인관계는 재미난 숨바꼭질 같았다.

그리고 그의 나이 70세. 인생연극의 장막이 서서히 걷히는 때다. 허접하고 판에 박힌 말이 자신에게 적용되리라고 추호도 생각해본 적 없는데도, 쌩쌩한 인생연극에서 퇴장할 때

가 된 것이다. 열심히 동분서주하며 뭔가를 이루려고 아등바
등했으나, 역시나 별로 이룬 것이 없다. 무지, 고통, 고난,
불운과 싸워 이긴 줄 알았더니, 웬걸 그저 견뎌냈을 뿐이다.
이제야 생로병사의 외줄에 서서 달리기를 했음을 절실히 깨
닫는 것이다.

70세의 그가 눈물을 질금질금 흘리는 풋봄 3월이 저만치 다가
오자, 그는 가치 없이 쌓인 물건과 목적 없이 묵은 짐을, 과거를 버
리듯이 버리고 집을 수리했다. 케케묵은 것에서 제발 떠난 것이다.
(~~ 중략 ~~) 진정 노선老仙의 정신으로 살기 위하여 광야에 홀
로 서듯이 서야 했다. 여백이 충분한 동양화같이 생활해야 한다.

「나이 70세의 그」에서)

김용옥 작가는, 주신중이 강조한 바처럼 많은 것을 비운
다. 쌓인 물건과 묵은 짐은 물론이요 과거마저 버리고, 이제
'동양화의 여백' 같은 빈 공간에 선다. 그런 자신을 '그'로 객
관화시킨다. 삼인칭으로 객관화된 '그'는 '노계'를 실천하는
존재이며, 그것을 언어로 기술하는 김 작가는 '그'의 실천과정
을 객관적으로 관찰하는 존재이다. 이렇듯 김용옥 작가는 '실
천'과 '실천에 대한 관찰' 사이의 거리두기를 통해 자신의 노계
를 매우 차분하게 진척해가면서 동시에 그 과정을 냉정하게

성찰한다.

　이런 차분한 '실천'과 '성찰'은 곧 다음 단계인 '사계死計'로 이어진다. 그는 다른 수필에서 "양생養生과 섭생攝生으로 천수를 돕고, 저승으로 홀로 가는 두려움을 떨쳐내고 있으며, (~~ 중략 ~~) 살아있는 사람들에게 가치 있는 소유물을 분배할 계획을 진행하고 있다. 정신과 육체가 또렷할 때 하던 일을 스스로 마무리하려고 최선을 다하고 있는 중이다."(『해·달·별·땅·꽃의 빛깔이여』(2019)에 수록된 「사계死計의 미학」에서)라고 하여 '사계'가 이미 기획 단계에 접어들고 있음을 시사하였다. 그러나 필자는 판단컨대, 앞 인용문 안의 내용들은 작가 김용옥을 넘어 보통 사람들도 가질 만한 사계에 해당한다. 김 작가로서의, 즉 '문전자 복합체'를 풍부하게 지닌 김용옥 작가로서의 사계는 이런 평범을 넘어서는 것이어야 한다고 본다.

　아직 판도라의 상자엔 '희망'이 담겨 있다. 내게 있어 그 '희망'은 '잘 죽음'이다. 우주 공간 어디에서 흐르는 구름으로 부모님과 상봉하게 된다면 "아가! 네 인생은 결코 실패한 적이 없다!"고 듣고 싶다. 몽실몽실 뭉게뭉게 하일부운夏日浮雲처럼 포근히 어우러지고 싶다. 어머니처럼 나는 하이얗게 몽글게 부풀어지는 하일부운을 정말 좋아한다.

성현들은 인생살이를 고해苦海 헤엄치기라 했지만 어떠냐. 그 긴 고해의 항해에 빠져죽거나 미쳐버리지 않고 잘 살아왔다. 나는 잘 죽을 것이다. 요즘에도 날마다 판도라 상자 속의 마지막 글귀를 읽는다.

「내 판도라 상자의 희망」에서)

고희를 넘긴 김 작가의 남은 희망은 '잘 죽음'이다. 그리고 그 '잘 죽음'은 천상의 부모님과 사후에 '하일부운夏日浮雲'으로 만나 지나온 한 세상에 대하여 "아가! 네 인생은 결코 실패한 적이 없다!"라고 위로 겸 칭찬을 듣는 일이다. 김 작가는 저승에 가서 부모로부터 '위로 겸 칭찬'을 들으려면 어떻게 해야 할지 이제 모색하는 중이다.

김 작가의 술회에 따르면, 그의 친정 부모님은 성공한 체육인 · 서예가였다. 그 전 세대는 양반의 뿌리에 닿아 있다고 한다. 다시 말해 매우 풍부한 '문전자 복합체'를 간직한 가계家系라 할 수 있다. 그렇다면 그러한 부모님으로부터 위로 섞인 칭찬을 들으려면 어떻게 해야 할까? 김 작가의 사계는 여기에 초점이 모아진다고 여겨진다.

나는 제법 오래 살았다. 살아보니 18평 아파트도 넓다. 꼭 원하는 것과 버려도 좋을 여러 가지 것들을 함께 넣을 수 있다. 어떤 장소에 잠시 머무는 여행을 홀가분하게 나다니면서, 소유물을 비우고 물건 욕심을 줄여 살았다. 생각하건데 이 땅과 후손들에게 남겨 줄 것은 예술품과 지혜서가 될 글줄뿐이다.

(「죽음처럼 '고도'를 기다리며」에서)

김 작가도 이미 간파하고 있다. 일찍이 부모님이 풍부한 '문전자 복합체'로 자신과 가족과 친지와 후세인들의 삶을 살 찌웠듯이, 그 스스로 부모님에 버금가는 작업(?)을 해야 한다는 것을……. 또한 김 작가는 자각하고 있다. 자신의 '문전자 복합체' 안에서 가장 강렬하게 작용하는 문전자(meme)는 '글쓰기'라는 것을…….

문전자(meme)는 유전자(gene)와는 달리 핏줄로만 전파·복제되는 것은 아니다. 혈연을 넘어 사승師承 관계와 가풍·관습·역사·전통 등을 통해 복제·전파된다. 즉 문화·문명의 전승경로 전반이 그것의 전파·복제의 통로가 된다.

학문學問의 전파·복제에는 사승관계가 절대적으로 작용할 것으로 보인다. 예술의 경우도 어느 정도는 사승관계에 의존하겠지만, 어느 단계를 넘어서면 인간적인 스승 너머의 '스승'을 찾아가야 한다. 김 작가의 경우, 그의 예술적 문전자 속에는 친정어머니 정휴당貞休堂 말고도 시아버지 하반영 화백의 문전자가 적잖이 복제되어 있는 것으로 보인다.(2010년에 간행된, 하반영 화백의 그림에 김 작가가 시를 부친 화시집畵詩集『빛·마하·生成』은 좋은 증좌다.) 그러나 그 복제의 정도는 일정한 단계에서 그친다고 하지 않을 수 없다. 모든 예술가는 누군가의 문전자로부터 영향을 받지만(전파·복제 당하지만), 어느 단계를 넘어서면 다른 방식으로 문전자 복합체를 채워가야 할 것이다. 그래야 예술의 창의성이 확보될 것이므로……

봄에 수레국화 씨를 뿌렸더니 지금 그 꽃이 피고 오이고추 모종을 심었더니 고추가 열렸다. 산다는 것은 이런 행위요 과정이요 결과 같은 것이다. 글은 이 모든 바탕에서 창작된다.

(「죽음처럼 '고도'를 기다리며」에서)

노년에 이른 김 작가는 이제 자신의 문전자 복합체를 채워줄 마지막 스승으로 '자연'을 선택한다.

도킨스(R. Dawkins)의 주장에 따르면, 자연 속의 모든 동·식물들은 각기 예의 '이기적 유전자'의 생존기계로서 자신의 유전자를 효과적으로 복제·전파하는 방향으로 진화되어 오면서도, 서로 자신의 유전자를 유지하기 위한 최선의 '안정적인 전략'을 채택함으로써, 매우 자연스러운 조화와 균형을 유지해왔다고 한다.[5]

그래서 모든 생물은 그 조화와 균형 속에서 자기 유전자를 유구히 존속시킬 수 있다는 것. 그러나 사람의 문전자는 그런 '안정적인 전략'을 제대로 찾아가고 있는지 의문이다. 문전자가 자칫 바람직하지 못한 방향으로 작용되면 편견·아집·독선·탐욕·폭력을 낳고, 그게 더욱 악화되면 증오 · 살육 · 전쟁으로 치달아 자신의 문전자로 일구어온 기존의 문명을 파괴할 수도 있다. 이런 점에서 다른 생물이 지니지 못한 인간의 문전자는 양면성을 지닌다.

김 작가가 마지막 스승으로 자연을 선택한 것은, 그 스스로 예의 '문전자의 역기능'을 감지하고, 그것을 완화시켜줄 마지막 보루를 거기에서 찾고자 한 결과로 해석된다. 그래서 김 작가의 문전자 복합체를 마지막으로 채워줄 문전자는 자연의 조화 · 균형에서 탐색될 것으로 보인다. 그 과정에서 혹간 자연의 신명이 접목될지도 모르지만…….

◆ 주신중은 '사계'를 강조하면서 "호랑이는 죽어 호피虎皮를 남기고 사람은 죽어 이름을 남긴다"고 하였다. 이 말은 호랑이(같은 동물)도 죽으면 유전자 아닌 뭔가를 남기는데, 하물며

5) Dawkins, Richard. 홍영남·이상임 역, 『이기적 유전자』(을유문화사, 2010). 54~103쪽 참조.

사람이 유전자만을 남겨서야 되겠냐는 의문법적 강조다. 사자死者의 '이름'은 곧 그가 남긴 '문전자 복합체'를 일컫는다. 그 문전자 복합체가 강력하고 풍요로우면 그 이름은 널리널리 알려지고 오래오래 기억될 것이다.

김용옥 작가는 지난 수십 년 간 '궁이후공窮而後工'의 역정歷程을 거쳐 문학·예술로써 자신의 문전자 복합체를 살찌워 왔고, 최근 그 연장선에서 노계老計를 차분하게 실천하고 있다. 이제는 상당히 풍요로워진 문전자 복합체를 안고 '사계死計의 방'으로 건너가는 문지방을 넘고 있다. 자연을 마지막 스승으로 삼고서…….

그 문지방 너머의 일이야 누가 알리? 어질더질…….

작가 소개

김용옥金容玉 (맘샘, 休霞, 東竹, 心泉, 烋霞)

　1948년 무자년戊子年 한여름 밤, 광산 김씨 부친과 남평 문씨 모친 사이에 셋째딸로 태어났다. 조부께서 아들이면 좋겠다며, 여식인데도 항렬 얼굴용容을 넣어 용옥容玉이라 작명하셨다. 시인 묵객과 운동선수와 지역유지들이 들락거리는 우리 집안엔 詩書藝樂이 풍부했다.

　4.19민주혁명을 치른 중학생 때부터 독서삼매에 빠졌고 캐서린 맨스필드, 오스카 와일드, E. 헤밍웨이, J 스타인벡, 잭 케루악에 빠졌다. 이리남성여자고등학교 3학년 때, 헤밍웨이 연구의 대가 김병철 교수와 A. 크리스티 번역의 일인자 이가형 교수의 장학제도 권유에 따라, 중앙대학교 영어영문학과에 지원했다. 참 아름답고 행복한 시절이었다.

얼토당토않은 결혼으로 '지루하고 아픈 대하소설'을 실생활로 사느라 90%의 나를 포기했다. 중허리에 백 프레스를 입고 1시간 이상 섰거나 걷는 것도 삼가라는 생활을 오랫동안 했다. 세상과의 끈은 어린 자식, 모성이 나를 살아있게 했다. 어느 날, 착한 콩쥐에게 유리구두가 신겨졌으니 문학이라는 신발이었다. 준비된 손이 연필을 쥔 것이다.

1972년부터 신문기자 친구의 권유로 신문글을 땀땀 썼다. 1978년 '전북여성백일장'의 인연이 닿아 시재詩才 글재주를 인정받고, 1980년에 최승범 선생이 〈전북문학〉에 추천, 전북문인협회에 입회했다. 시류에 합류하느라고 1988년에 역사적인 詩文學誌 〈시문학〉에 문덕수 선생의 추천완료로 재등단, 한국문인협회 회원이 되었다. 곧 국제PEN한국위원회에 입회했다. 불혹부터 드디어 수필을 썼으니, 그 시작은 〈전북수필〉이었다.

그때부터 나는 오직 나를 초극하고, 속된 세상을 초월하기 위해 도전하고 실험하며 시와 수필을 썼다. 문학으로 종교를 뛰어넘고 철학을 사유하고 세상을 관조할 수 있었다. 이전의 문학에서 한 걸음 나아가려고 꾸준히 노력하고 있다.

2020년 현재 ;

국제pen한국위원회 이사. 한국현대시인협회 지도위원.

한국시문학문인회 지도위원. 중앙대문인회 이사.

한국실험수필문학회 감사. 〈수필세계〉편집위원.

2020년 역임 ;

한국문인협회 문학사편찬위원, 이사, 감사.

국제pen한국위원회 언어보존위원. 한국현대시인협회 부이

사장. 한국녹색시인협회 회장.

전북문인협회에서 이름도 빛도 없이 소금 일꾼으로 8년

(1989.1~1997.2) 봉사.

2020년 연재 중 ;

〈수필세계〉'아포리즘수필'.

〈에세이포레〉'정관수필'.

〈한국문학예술〉'단편수필'.

절망인 줄 알았더니

삶은 기적이었다

발행일	2021년 1월 10일
지은이	김용옥
펴낸곳	도서출판 도반
펴낸이	이상미
편집	김광호, 이상미, 최명숙
대표전화	031-465-1285
이메일	dobanbooks@naver.com
주소	경기도 안양시 만안구 안양로 332번길 32
홈페이지	http://dobanbooks.co.kr